文史哲學集成

沈秋雄著

詩學十論

文史哲出版社印行

國立中央圖書館出版品預行編目資料

詩學十論 / 沈秋雄著. -- 初版. -- 臺北市：
　文史哲，民８２
　4,283面 ; 21公分.--(文史哲學集成 ; 277)
　ISBN 957-547-201-2(平裝) NT$ 240

1. 中國詩 - 歷史與批評

821.8　　　　82001546

文史哲學集成 (277)

詩學十論

著者：沈秋雄
出版者：文史哲出版社
登記證字號：行政院新聞局局版臺業字五三三七號
發行人：彭正雄
發行所：文史哲出版社
印刷者：文史哲出版社
台北市羅斯福路一段七十二巷四號
郵撥〇五一二八八一二彭正雄帳戶
電話：三五一一〇二八

實價新台幣四〇〇元

中華民國八十二年三月初版

ISBN 957-547-201-2

自序

本集所收論文十篇，皆近年內陸續所撰，其中除前面三篇分別討論樂府、王維及杜甫以外，餘皆環繞李義山爲中心，見個人關切之對象，仍以玉谿生爲重點。樂府詩源自民間，多反映現實，語言樸質而情感篤摯，哀樂所發，美刺斯在，信我國文學之精金美玉也。王維及杜甫崛起盛唐，宗師百代，摩詰深通禪理，少陵軫懷國事，曰佛曰聖，既無乖於名實；一唱一詠，復有契乎風雅。尤以少陵之沈鬱頓挫，蒼涼悲壯，感人之深，沾溉之廣，後世殆罕有其匹。玉谿生才子多情，晚唐巨擘，錢牧齋稱其詩沈博絕麗，斯語出之自精，沈謂其詩意旨深邃，博謂其詩用事奧衍，麗謂其詩摛藻富艷而多色澤也。三者洵皆爲玉谿生詩之特色。此外，則多存比興，亦玉谿生詩特色之一也，蓋男女之情，既通於主臣師友；詠物之懷，復諧乎人事升降之際，故《離騷》假美人以喩修潔，《橘頌》藉嘉樹而傷放逐，所由來久矣。玉谿生受禍於黨局，沈淪於記室，「其身危，則顯言不可而曲言之；其思苦，則莊語不可而謾語之」（朱長孺語），則其詩之多存比興，蓋有其不得已之苦衷，而此亦造成玉谿生詩辭晦意深之主要原因。集中諸文，除分別探討玉谿生詩之用典及其詠物、比體、無題諸作外，並據其詩以尋繹其淵源所自，徵其所受者至爲浩博，用能卓然自成一大家。十篇之外，余別有《論江兆申先生詩》一文及《論詩絕句三十首》，亦收入本集爲附錄。嗟余學殖荒陋，識見未周，集中所論，謬誤必未能免，如蒙大雅方家不棄，惠賜教言，匡所未逮，固其幸也。

癸酉二月伯時**沈秋雄**謹序於雲在盦晴窗。

詩學十論　目　次

附錄

壹、論樂府詩

一、原名義

樂府本是官署的名稱，《漢書·禮樂志》云：

至武帝定郊祀之禮，祠太一於甘泉，就乾位也；祭后土於汾陰，澤中方丘也。乃立樂府，采詩夜誦，有趙、代、秦、楚之謳。以李延年爲協律都尉，多舉司馬相如等數十人造爲詩賦，略論律呂，以合八音之調，作十九章之歌。

據此，似漢武帝時才開始設立樂府官署，其職掌爲採集民間歌謠及曲調，改寫或制定樂譜，潤色或創作歌辭，並訓練樂員，作爲觀風施政的參考或朝廷郊祀、朝會、宴飲時演奏的用途。但《漢書、禮樂志》又說：

高祖樂楚聲，故《房中樂》楚聲也。孝惠二年，使樂府令夏侯寬備其簫管，更名曰《安世樂》。

此外，《史記·樂書》也說：

高祖過沛詩三侯之章，令小兒歌之。高祖崩，令沛得以四時歌　宗廟。孝惠、孝文、孝景無所增更，於樂府習常肄舊而已。

則樂府官署自漢初以來即有之，並且設有樂府令的官。但是當時樂府的職掌只是傳習舊有的樂舞，以供朝廷禮儀的需要而已。當時的樂府令，只是沿襲舊制，如殷有瞽宗，周有大司樂，秦有太樂令，是單純的樂官。至漢武帝時，則大事更張，擴大了樂府的職掌，連帶編制上也作了調整，增加了協律都尉等官職，並且網羅了許多文人參加歌辭的編寫工作。所以武帝立樂府，事實上是在舊有的制度上從事改革，不是從無到有的純然創作，這是必須指出的一點。而當時改革的內容，最具意義的莫過於恢復周代採詩的制度，博收天下歌謠，藉以觀察各地風俗民情，作爲施政參考。其時採集的歌謠，據《漢書·禮樂志》說：「有趙、代、秦、楚之謳」，趙在今河北，代在今山西，秦在今陝西，楚在今長江流域，可見採集範圍之廣。此外，《漢書、藝文志》詩賦類著錄歌詩二十八家，三百一十四篇，其中屬各地歌謠的有：

吳、楚、汝南歌詩十五篇

燕、代謳，雁門、雲中、隴西歌詩九篇

邯鄲、河間歌詩四篇

齊、鄭歌詩四篇

淮南歌詩四篇

左馮翊秦歌詩三篇
京兆尹秦歌詩五篇
河東、蒲反歌詩一篇
雒陽歌詩四篇
河南周歌詩七篇
周謠歌詩七十五篇
周歌詩二篇
南郡歌詩五篇

以上共一百三十八篇，這些地方歌謠的採集及保存，相信和樂府也必然有密切的關係。地域那麼廣大，見於著錄的僅一百餘篇，在數量上不能算多，這種現象也許是由於漢哀帝罷樂府因而造成歌謠的散失所致。哀帝性不好音樂，加上其時貴戚富顯之家淫侈過度，甚至與人主爭女樂，哀帝自為定陶王時對這種情形已很嫉惡，等到他即位之後，就下詔罷樂府，並聽從丞相孔光、大司空何武的建議，把原來樂府編制內演奏廊廟雅樂的員額三百八十八人併入大樂，其餘四百四十一人皆加以裁撤，這些被裁撤的對象大部份是演奏各地俗樂的謳員。經過這樣的變革，樂府官署固然不復存在，而那些被目為「鄭、衛之聲」的民歌俗樂自然也逐漸散失了，這是很可惜的事情。今天我們所能讀到的漢朝民歌以東漢的作品居多，是否東漢時又曾恢復樂府，從事各地歌謠的採集和整理，由於史無明文，這點已經無法考證了。

如前文所說，樂府本是官署之名。但樂府一辭後來卻演變成爲詩體的名稱，用以指樂府官署所採集的詩。作爲詩體名稱的樂府又有狹義和廣義之分，狹義的樂府指樂府本曲以及依樂府本曲以製辭而其聲亦被管絃的作品，前者如漢相和歌辭《江南》、《東光》等是，後者如魏武帝依《苦寒行》以製「北上」、魏文帝依《燕歌行》以製「秋風」等作品是；廣義的樂府詩尙包括依樂府題製辭而其聲不被管絃的作品及不依樂府舊題自創新題以製辭而其聲亦不被管絃的作品，前者如高常侍《燕歌行》、柳柳州《東門行》等是，後者如杜子美《悲陳陶》、白樂天《新樂府》等作品是。到了後來，詞曲亦有冒樂府之名的，詞如《東坡樂府》、《遺山新樂府》，曲如《東籬樂府》、《小山樂府》等皆是。但後世的詞和曲都已經發展成爲另一種獨立的文學體裁，一般說到「樂府」或「樂府詩」，大都不把詞曲包含在內。

二、辨類別

漢明帝時將音樂分爲四品：一曰《大予樂》，是郊廟上陵所用；二曰《雅頌樂》，是辟雍饗射所用；三曰《黃門鼓吹樂》，是天子宴群臣所用；四曰《短簫鐃歌》，是軍中所用。《隋書·音樂志》及《通典·樂志》皆載其事，是爲樂府詩分類的濫觴。宋郭茂倩編《樂府詩集》，則將樂府詩分爲十二類，其目如下：

㈠郊廟歌辭　用於祭祀，祀天地、太廟、明堂、藉田、社稷時所用。

㈡燕射歌辭　用於宴會，以飲食之禮親宗族，以賓射之禮親故舊，以饗宴之禮親四方賓客，是辟雍饗射所用。

㈢鼓吹曲辭　有簫笳者爲鼓吹，用於朝會、道路。此與「橫吹曲」皆是軍樂。

㈣橫吹曲辭　有鼓角者爲橫吹，是軍中馬上所奏。

㈤相和歌辭　是用絲竹相和，都是漢世的街陌謳謠。

㈥清商曲辭　清商樂又名清樂，源出於相和三調（平調、清調、瑟調），皆漢、魏以來舊曲。其辭都是古調及魏氏三祖所作。

㈦舞曲歌辭　分雅舞及雜舞兩種，雅舞用於郊廟、朝饗，雜舞用於宴會。

㈧琴曲歌辭　古琴曲有五曲、九引、十二操。

㈨雜曲歌辭　雜曲的內容，或寫心志，或抒情思，或記宴遊歡樂，或發憂愁憤怨，或敘離別悲傷，或言征戰行役，或緣於佛老，或出自夷虜，以其兼收備載，故總謂之雜曲。

㈩近代曲辭　近代曲的性質與雜曲同，以其出於隋、唐之世，故謂之近代曲。

(十一)雜歌謠辭　是普通的謠諺，未入樂。

(十二)新樂府辭　是唐代的新歌，辭擬樂府而未嘗被管絃，或寓意古題，刺美人事；或即事名篇，無復依榜。

由於郭氏《樂府詩集》是迄今最完整的一部樂府詩總集，其分類頗爲賅備，又不會過於繁瑣，故後代學者談樂府詩的分類，常以《樂府詩集》爲依據，或據郭氏的分類加以分合。

據我們的看法，郭氏所列琴曲多據《琴操》等書，而《琴操》紀事，往往與本傳相違，未必可靠；若以琴曲歌辭的內容來看，又與相和歌辭及清商曲辭相通。因此，琴曲一類似可取消，而把琴曲歌辭分別併入相和及清商二類，此其一。郭氏所列近代曲辭事實上也是雜曲，只因爲出於隋、唐之世，特謂之近代曲。郭氏爲宋人，上距隋、唐，年代不遠，或不妨別立一類。以今日言之，實已無此必要，故近代曲應可併入雜曲，取消近代曲辭一類，此其二。雜歌謠辭所收，有徒歌、謠、讖、諺語等，既不用樂府題，又不被管絃，性質與樂府詩相遠，且所據書中有不可靠者，故此類似可裁撤，此其三。舞曲分雅舞及雜舞兩類，雅舞用於郊廟、朝饗，雜舞用於宴會，性質與郊廟歌辭及燕射歌辭相通，應可分別併入郊廟及燕射兩類，其餘小部分併入清商曲，故舞曲歌辭一類應可裁撤，此其四。

經過以上的刪併，剩下八類，即郊廟歌辭、燕射歌辭、鼓吹曲辭、橫吹曲辭、相和歌辭、清商曲辭、雜曲歌辭及新樂府辭，其中郊廟與燕射兩類爲貴族音樂，鼓吹與橫吹爲軍中音樂，相和與清商爲街陌謳謠，雜曲及新樂府辭多屬文人作品。純就「辭」的價值而言，自以相和、清商、雜曲及新樂府辭四類爲高。

說到樂府詩的分類，近人黃季剛的說法也可一提，其說見於所著《文心雕龍札記·樂府第七》，他把樂府詩分成四類：

㈠樂府所用本曲，若漢相和歌辭《江南》、《東光》之類是也。

㈡依樂府本曲以製辭，其聲亦被弦管者，若魏武依《苦寒行》以製「北上」，魏文依《燕歌行》以製「秋風」，是也。

㈢依樂府題以製辭，而其聲不被弦管者，若子建、士衡之所作是也。

㈣不依樂府舊題自創新題以製辭，其聲亦不被弦管者，若杜子美《悲陳陶》諸篇、白樂天《新樂府》是也。

黃氏的分類，以「是否入樂」及「是否依樂府題」爲標準，其分類也相當清楚而周延，可以參考。黃氏並說：「從詩歌分途之說，則惟前二者得稱樂府，後二者雖名樂府，與雅俗之詩無殊。從詩樂同類之說，則前二者爲有辭有聲之樂府，後二者爲有辭無聲之樂府，如此復與雅俗之詩無殊。要之，樂府四類，惟前二類名實相應，其後二類，但有樂府之名，無被管絃之實，亦視之爲雅俗之詩而已矣。」黃氏的這種看法是不錯的。

三、釋特質

從前無留聲之機器，故古代樂府「曲」的部份多已湮沒放佚，其詳細的情形很難說清楚，我們今天能看到只是流傳下來的「辭」，即所謂樂府詩。作爲詩體的一種，樂府詩也有其明顯的特質，與一般的古詩不同。歸納前人的意見，樂府詩的特質至少包括如下幾個方面：

㈠反映時事，而中含美刺。

《漢書·藝文志》說：「自孝武立樂府而采歌謠，於是有代、趙之謳，秦、楚之風，皆感於哀樂，緣事而發，亦可以觀風俗、知薄厚云。」又清人趙執信也說：「新樂府皆自製題，大都言時事而中含美刺。」（見《聲調譜》）據此可見，樂府詩的內容多半反映當時社會的問題，其中含有美刺的成分。樂府詩的作者往往選典型的事件，對現實進行反省或批判，故樂府詩極富於現實主義的精神，使我們讀了以後，能窺見當時社會的一斑。如兄弟同根，本當相親相愛，但父母去世後，兄嫂不良，對幼弟苛虐百端，此事爲舊時社會所常有，漢樂府詩《孤兒行》透過行賈、行汲、收瓜三個具體事例，極寫父母死後中嫂對幼弟的虐待，以凸顯孤兒命苦的主旨，便是反映此種社會現實。詩中飽含了強烈的批判色彩，朱乾在《樂府正義》中說：「《孤兒行》，閔俗也。」說得很對。又如古代社會，兒女婚事由父母作主，不得自專，而婆媳之間不和，因而造成家庭悲劇的事例層出疊見，漢樂府詩《焦仲卿妻》寫焦仲卿妻劉蘭芝不得婆婆歡心，予以遣歸，蘭芝自誓不嫁，其家人逼迫不許，蘭芝遂投水而死，仲卿聞到此消息，也自縊於庭樹，便是反映此種社會現實，詩人的用心，顯然偏重在刺譏。又如安祿山、史思明的起兵反叛，造成唐朝社會的大動亂，人民轉徙流離，飽受戰爭的荼毒。唐肅宗乾元二年，郭子儀等九鎭兵在鄴城爲史思明、安慶緒所敗，官軍傷亡慘重，於是在河南一帶到處拉伕，藉以補充兵員的不足，杜甫的《石壕吏》便是反映這種社會現實的作品，詩中寫一家丁男三口全部被徵從軍，其中兩人在鄴城之役中戰死，家中只剩下年邁的父母、「出入無完裙」的媳婦及尙在乳抱的孫子，這已經夠悲慘了，結果官府還不放過他們，還將年邁的母親捉去軍中幫忙做飯，眞是民不聊生到極點了。杜甫的詩多寫時事，時人號爲「詩史」，主要便是指像《新安吏》、《潼關吏》、《石壕吏》、《新婚別》、《垂老別》、《無家別》、《悲陳陶》等這些因事名篇的作品。

㈡以敘事為主，往往寓抒情於敘事。

張蕭亭說：「樂府之異於詩者，往往敘事。詩貴溫裕純雅，樂府貴遒深勁絕，又其不同也。」（見郎廷槐《師友詩傳錄》）樂府詩往往含有故事性及戲劇性，以一個主題爲中心而展開情節的敘述，而作者的主觀意見便寄託在其中，故樂府詩往往也是敘事詩，如漢樂府《東門行》寫貧士失職的悲憤，首先一開頭說：「出東門，不顧歸」，寫這貧士絕望之餘，想要鋌而走險，這是一個情節；接著說：「來入門，悵欲悲。盎中無斗米儲，還視架上無懸衣。」寫貧士由於良心的鞭策，不忍做出犯法之事，還是回到家中來，但看到家中家徒四壁的貧窮光景，心中的惆悵悲傷難以壓抑，這是第二個情節；下文說：「拔劍出門去，舍中兒母牽衣啼。他家但願富貴，賤妾與君共餔糜。上用滄浪天故，下當用此黃口兒，今非（按：此句似有脫文，晉樂所奏作「今時清廉，難犯教言，君復自愛莫爲非」，可參。）。」寫貧士由悲傷而絕望，復由絕望而憤怒，又決心將出門去從事輕生犯法之事，其妻子見狀，牽衣哭求，予以勸阻，這是第三個情節。詩的最後說：「咄！行！吾去爲遲。白髮時下難久居。」寫貧士拒絕賢婦的婉勸，說自己已白髮盈顚，時事溷濁，眼前貧困的生活實在過不下去了。這是第四個情節。全詩透過以上四個情節的發展，寫出賢士失職的悲憤，而賢婦婉淑及時政昏黯自見於言外。又如漢樂府詩《婦病行》，起首說：「婦病連年累歲，傳呼文人前一言，當言未及得言，不知淚下一何翩翩。『屬累君兩三孤子，莫我兒飢且寒，有過愼莫笪笞，行當折搖，思復念之！』」寫病婦的臨危託孤，這是第一個情節。下文說：「亂曰：抱時無衣，襦復無裡，閉門塞牖舍，孤兒到市，道逢親交泣坐不能起，乞求與孤買餌，對交啼泣淚不可止。『我欲不傷悲不能已』，探懷中錢持授。」寫病婦死後，其夫置孤兒於不顧，使孤兒免於飢寒，這是第二個情節。中間孤兒對親交乞錢買餌一節，令人讀之鼻酸。詩的最後說：「交入門，見孤兒啼索其母抱。徘徊空舍中，行復爾耳，棄置勿復道！」寫親交隨孤兒回到其家中，看見其幼弟啼索母抱的情景，徘徊空舍而起嘆息，這是第三個情節。第三個情節亦是強調父親棄置孤兒於不顧的意思，是前面詩意的定向加深。而全詩即透過以上三個情節的發展，兩兩對照，寫出父子不能相保的可悲。又如《公無渡河》一詩，云：「公無渡河！公竟渡河！墮河而死，當奈公何！」據崔豹《古今注》說：「朝鮮津卒霍里子高晨起刺船，有一白首狂夫被髮提壺，亂流而渡，其妻隨而止之，不及，遂墮河而死。於是援箜篌而歌此曲，聲甚悽慘，曲終亦投河而死。」如此說來，《公無渡河》四句雖然表面看來悉是妻子的獨白，其中卻隱然含有情節，首句「公無渡河」是妻子緊追丈夫而來的急切呼告，次句「公竟渡河」是勸阻不及，三句「墮河而死」是悲劇的發生，四句「當奈公何」是妻子的哀悼傷痛，一句代表一個情節，層層深入，而把情感貫注到最後一句上面。這應是一首有寄託的詩，朱嘉徵在《樂府廣序》說：「《公無渡河》，愼所往也。世患無常，君子不輕蹈之。」似能得到作者之意。

㈢鋪叙誇張，敷彩濃至。

沈德潛評漢樂府詩《陌上桑》說：「鋪陳穠至，與辛延年《羽林郎》一副筆墨，此樂府體別於古詩者在此。」（見《古詩源》）樂府詩往往使用了鋪叙及誇張的筆法，而且文辭很濃麗，這是樂府詩的另一個特質。如《焦仲卿妻》一詩起首用「孔雀東南飛，五里一徘徊」兩句發興，接著轉入正題，引出了詩中的女主角劉蘭芝，說她「十三能織素，十四學裁衣，十五彈箜篌，十六誦詩書，十七爲君婦，心中常悲苦。」從十三歲說起，到十七歲出嫁止，共鋪叙了五句，這樣不厭其詳的叙述，是一般古詩所沒有的。樂府詩多以叙事爲主，而且發源於民間，流播於衆口，保存了濃厚的民歌色彩，往往有此筆法。其他如北朝樂府《木蘭詩》寫木蘭將要代父從軍，爲了準備必須的用品，詩中說：「東市買駿馬，西市買鞍韉。南市買轡頭，北市買長鞭」，一連鋪寫了四句，周遍東、西、南、北四市，正是同類的例子。其下文接著說：「旦辭爺娘去，暮宿黃河邊。不聞爺娘喚女聲，但聞黃河流水鳴濺濺。旦辭黃河去，暮宿黑山頭。不聞爺娘喚女聲，但聞燕山胡騎聲啾啾。」寫木蘭出發到戰地，自「旦辭黃河去」以下，除「不聞爺娘喚女聲」一句重見以外，其餘三句的句法與上文也都相似，這彷彿音樂的回旋往復，塑造了相當強烈的感染效果，這也是鋪叙手法的一種靈活運用。詩的後幅寫木蘭征戰有功，入朝受賞後返家，說：「爺娘聞女來，出郭相扶將。阿姊聞妹來，當戶理紅妝。小弟聞姊來，磨刀霍霍向豬羊。」分別用了兩句寫其爺娘、阿姊及小弟的反應，其中上句的句法相似。接著筆鋒一轉，又回到木蘭的身上來，說：「開我東閣門，坐我西閣床。脫我戰時袍，著我舊時裳。當窗理雲鬢，對鏡貼花黃。開戶看火伴，火伴皆驚惶。」寫木蘭的換妝打扮，一連用了七個句子，其中前四句的句法相似。這些也是使用了鋪敘的手法。至於摛藻濃至，如《陌上桑》云：「青絲爲籠系，桂枝爲籠鉤。頭上倭墮髻，耳中明月珠。緗綺爲下裙，紫綺爲上襦。」這幾句寫秦羅敷採桑時的器物之精與服飾之美，便是明顯的例子。而《羽林郎》寫胡姬的打扮，云：「長裾連理帶，廣袖合歡襦。頭上藍田玉，耳後大秦珠。兩鬟何窈窕，一世良所無。一鬟五百萬，兩鬟千萬餘。」及《焦仲卿妻》寫劉蘭芝被遣時，云：「雞鳴外欲曙，新婦起嚴妝。著我繡裌裙，事事四五通。足下躡絲履，頭上玳瑁光。腰著流紈素，耳著明月璫。指如削蔥根，口如含珠丹。纖纖作細步，精妙世無雙。」這些正也都是同類的例。

(四)樸拙自然，多用俚言俗語。

沈德潛說：「樂府寧朴毋鍊。張籍《短歌行》云：『菖蒲花開月常滿』，傷於巧也。無名氏《木蘭詩》云：「朔氣傳金柝，寒光照鐵衣」，後人疑爲韋元甫假託，傷於鍊也。」（見《說詩晬語》）又陸時雍也說：「古樂府多俚言，然韻甚趣甚，後人視之爲粗，古人出之自精，故大巧者若拙。」（見《詩鏡總論》）樂府詩本出自民間，文辭樸拙自然是其本色，與一般文士抒懷之作，嘔心瀝血，務求文辭的工巧與精鍊，風格自是不同。因此，「巧」與「鍊」在文士作品中也許是一種藝術造詣，可以看出作者詩學的修養；在樂府詩來說，反而破壞它平易天然的格調，有傷它的眞美。古來上乘的樂府詩，文辭多是樸拙自然，保存了濃厚的平民色彩，如漢樂府《江南》：「江南可采蓮，蓮葉何田田，魚戲蓮葉間。魚戲蓮葉東，魚戲蓮葉西，魚戲蓮葉南，魚戲蓮葉北。」這是一首採蓮歌曲，所謂「勞者歌其事」，全詩文字是那麼明轉自然，完全是口語文學的本色。又如漢鐃歌《上邪》：「上邪！我欲與君相知，長命無絕衰。山無陵，江水爲竭，冬雷震震，夏雨雪，天地合，乃敢與君絕。」這是一首愛情的誓詞，用五件自然界必不可能發生的事爲襯托，以見愛情的堅貞不移，語言樸質，境界卻很闊大，帶有相當強烈的民間性，是愛情誓詞中不可多得的作品。又如《烏生》云：「烏生八九子，端坐秦氏桂樹間。唶我，秦氏家有遊遨蕩子，工用睢陽彊，蘇合彈，左手持彊彈兩丸，出入烏東西。唶我！一丸即發中烏身，烏死魂魄飛揚上天。阿母生烏子時，乃在南山巖石間。唶我！人民安知烏子處，蹊徑窈窕安從通？自鹿乃在上林西苑中，射工尙得白鹿脯；唶我！黃鵠摩天極高飛，後宮尙得烹煮之；鯉魚乃在洛水深淵中，釣鉤尙得鯉魚口。唶我！人民生各各有壽命，死生何須復道前後。」這是一首寓言詩，借烏喩人，先敘烏的慘死，次敘烏自責藏身不密，以致罹禍；然後轉念世情難測，善於藏身的鯉魚、白鹿、黃鵠還是不能免，可見禍福的降臨本難逃躲；最後委之天命，聊以自解，「人民生各各有壽命，死生何須復道前後」兩句，是一篇的總結，其中含有多少無奈和悲憤。「唶我」是烏的哀鳴聲，全詩共用五個「唶我」貫穿其間，既用以突顯悲哀的深切，同時也在章法上起了穿針引線的作用。詩中像「遊遨」、「阿母」、「射工」、「南山巖石」、「上林西苑」、「洛水深淵」等都是很淺白的詞彙。像「烏死魂魄飛揚上天」、「黃鵠摩天極高飛」、「釣鉤尙得鯉魚口」等都是很口語化的句子，這種風格和出於文士之手的一般古詩顯然不同。其他如南朝樂府《懊儂歌》：「江陵去揚州，三千三百里。已行一千三，所有二千在。」也是絕佳的例。王士禎說：「樂府江陵去揚州一首，愈俚愈妙，然讀之未有不失笑者。余因憶再使西蜀時，北歸次新都，夜宿，聞諸僕偶語曰：『今日歸家，所餘道里無幾矣，當酌酒相賀也。』一人問所餘幾何？答曰：『已行四十里，所餘不過五千九百六十里耳。』余不覺失笑，而復悵然有越鄉之悲。此語雖謔，乃得樂府之意。」（見《分甘餘話》）王氏的這段說明很有意思，可作爲讀前引《懊儂歌》的一助。

(五)設譬諧音，纏綿盡致。

陳胤倩說：「夫古詩以淡宕爲則，故言以不盡爲佳；樂府以纏綿爲則，故言盡而彌遠。」（見《采菽堂古詩選》）一般古詩意不欲說盡，講求意在言外，留給讀者較大的想像空間，以塑造「味永」的效果。樂府詩剛好相反，不論心意的剖白或情節的敘述，往往不厭其詳，給讀者纏綿盡致的感受。這方面可參考前文論「鋪敘誇張」的部份。至於「設譬諧音」，係就樂府詩常見的修辭手法說，「譬喻」本是一般詩文常用的表現方法，不是樂府詩所獨專，但在樂府詩卻往往異想天開，譬喻的運用，在質和量方面都顯得極爲突出，如漢樂府《艷歌行》：「語卿且勿眄，水清石自見。石見何纍纍，遠行不如歸。」此詩寫一位客居他鄉的人，承女主人的好意，爲他縫補衣服，平白受到男主人的懷疑，這四句是客人內心的話，以「水清石見」比喻心跡大白，既生新又深刻。又如南朝樂府《子夜歌》：「常慮有貳意，歡今果不齊。枯魚就濁水，長與清流乖。」這首詩以女子的口吻寫她的男人變心，另結新歡，罵他不識好歹，說他是「枯魚就濁水」，而以「清流」自況，這眞是既新穎又生動的比喻。又《讀曲歌》云：「暫出白門前，楊柳可藏烏。歡作沈水香，儂作博山爐。」博山爐是爐名，沈水香又名沈香，爲一種香木，放在爐內焚燒，香氣很濃。詩中用「沈水香」和「博山爐」爲喻，表明願結綢繆的願望，設想也很奇。這種例子很多，舉到這裡爲止。「諧音」是指諧音雙關的修辭手法，多見於六朝樂府小詩，洪邁說：「自齊、梁來，詩人作樂府《子夜四時歌》之類，每以前句比興引喻，而後句實言以證之。」（見《容齋三筆》）洪氏所言即是指諧音雙關的修辭。這種修辭手法又分爲兩類，一類是同音同字的雙關，一類是同音異字的雙關，前者如《子夜歌》：「始欲識郎時，兩心望如一。理絲入殘機，何悟不成匹。」後二句以殘損的織機織絲不能成端匹，喻有情人不成匹偶，「匹」字爲同音同字的雙關語。又如《子夜春歌》：「自從別歡後，歎音不絕響。黃蘗向春生，苦心隨日長。」黃蘗性苦，後二句以黃蘗在春天逐日長高喻有情人別後的悲苦心情逐日加深，「苦心」也是同音同字的雙關語。後者如《子夜歌》：「我念歡的的，子行由豫情。霧露隱芙蓉，見蓮不分明。」由豫即猶豫，芙蓉是蓮花的別稱，因爲霧露籠罩了芙蓉，故見蓮不分明。這裡的「蓮」諧音「憐」，承次句的「子行由豫情」，抱怨對方對自己的愛心不夠明確。又如《七日夜女歌》：「婉孌不終夕，一別周年期。桑蠶不作繭，晝夜長懸絲。」此詩後二句桑蠶懸絲的「絲」字諧音「思」，承次句的「一別周年期」進一步抒寫別情，說別後對愛人的思念晝夜不絕。以上二則是同音異字雙關的例子。另外也有同音同字和同音異字兩種雙關合併使用的情況，如《子夜歌》：「憐歡好情懷，移居作鄉里。桐樹生門前，出入見梧子。」此詩結句的「梧子」諧音「吾子」，指首句的所歡，「吾」與

「梧」是同音異字的雙關，「子」在「梧子」一辭中是指桐樹的實，在「吾子」一辭中是第二人稱的代詞，屬於同音異字的雙關，這便是同音同字與同音異字合用的例子。

參考書目

壹、專著

《樂府詩集》　郭茂倩　世界書局
《古詩源》　沈德潛　商務印書館
《樂府古辭考》　陸侃如　商務印書館
《樂府通論》　王　易　廣文書局
《樂府文學史》　羅根澤　文史哲出版社
《魏晉南北朝樂府文學史》　蕭滌非　長安出版社
《漢魏樂府風箋》　黃節　學海出版社
《樂府箋》　聞一多　《樂府詩集》附錄　世界書局
《樂府詩粹箋》　潘師石禪　學海出版社
《樂府詩紀》　汪師雨盦　學生書局

《樂府詩選注》　汪師雨盦　學海出版社
《樂府詩選》　朱建新　正中書局
《樂府詩選注》　龔慕蘭　廣文書局
《樂府詩選》　余冠英　華正書局
《漢代樂府與樂府歌辭》　張壽平　廣文書局
《漢魏南北朝樂府》　李純勝　商務印書館
《兩漢樂府詩之研究》　張清鐘　商務印書館
《樂府詩研究》　江聰平　復文書局
《漢魏六朝樂府研究》　陳義成　嘉新水泥公司文化基金會
《六朝樂府與民歌》　王運熙　新文豐出版社
《漢大曲管窺》　丘瓊蓀　鼎文書局
《漢鐃歌釋文箋正》　王先謙　廣文書局
《漢短簫鐃歌注》　夏敬觀　廣文書局
《漢書》　班固　鼎文書局
《後漢書》　范曄　鼎文書局
《宋書》　沈約　鼎文書局

《文心雕龍》 劉勰 商務印書館
《文心雕龍札記》 黃侃 文史哲出版社
《文章辨體》 吳訥 泰盛書局
《詩體明辨》 徐師曾 廣文書局
《漢魏六朝詩論叢》 余冠英 鼎文書局
《通典》 杜佑 新興書局
《通志》 鄭樵 新興書局

貳、單篇論文

〈樂府詩研究論文集〉 作家出版社
〈論樂府〉 朱謙之 中山大學文史研究所月刊一卷三期
〈樂府之由來及其衍變〉 祝文白 《思想與時代》三七期
〈樂府的影響〉 陸侃如 《國學月報》第二卷第二期
〈兩漢樂舞考〉 臺師靜農 《文史哲學報》一期
〈建安樂府詩溯源〉 廖蔚卿 《幼獅學誌》七卷一期
〈何謂樂府及樂府的起源〉 羅根澤 《安徽大學月刊》二卷一期
〈樂府中的故事與作者〉 羅根澤 《師大月刊》第六期

〈西漢樂府官署始末考〉　張壽平　《大陸雜誌》三四卷五期
〈論漢代樂府〉　趙景深　《新文學》一期

貳、論王維《輞川集》

一

王維是中國盛唐時的重要詩人。他在詩歌創作方面的才能展現了多面性，而其中成就最傑出的，無疑地要屬描繪農村風光和刻劃山水清景的田園山水詩篇。如果我們說王維是繼陶淵明和謝靈運之後最重要的田園山水詩人，應該不算過份。王維擅長以五絕的體裁描寫田園山水的景色，他有一組總題叫《輞川集》的小詩，便是這方面的精心之作。《輞川集》事實上包含了王維的的五言絕句二十首（如含裴迪的和作則為四十首），王維有序提到這些詩產生的背景，引錄如下：

> 余別業在輞川山谷，其遊止有孟城坳、華子岡、文杏館、斤竹嶺、鹿柴、木蘭柴、茱萸沜，宮槐陌、南垞、欹湖、柳浪、金屑泉、白石灘、北垞、竹里館、辛夷塢、漆園、椒園等，與裴迪閒暇各賦絕句云爾。

裴迪是王維親密的詩友之一，有關他的傳記資料很少，生卒年不詳㊀。高棅的《唐詩品彙》說他是關中人㊁。另據孟浩然有《從張丞相遊紀南城獵戲贈裴迪・張參軍》詩，張丞相即張九齡，紀南城在江陵北郊，似開元二十五年至開元二十八年間，當張九齡貶居荊州時，裴迪曾與孟浩然同遊張九齡的幕府㊂。天寶以後，曾任蜀州刺史，與杜甫、李頎相友善，杜甫有《和裴迪登新津寺寄王侍郎》、《和裴迪蜀州亭東》《暮登四安寺鐘樓寄裴迪》等詩。除了以上這些零星資料以外，《王右丞集》中許多與裴迪唱和的詩篇，恐怕要算是裴迪比較集中的傳記資料了。如據《春日與裴迪過新昌里訪呂逸人》、《夏日過青龍寺謁操禪師》、《青龍寺曇壁上人兄院集》諸詩，知裴迪與王維曾同在長安，據《登裴迪秀才小臺作》、《黎拾遺昕，裴迪見過秋夜對雨之作》、《輞川閒居贈裴秀才迪》、《答裴迪》㊃、《輞川集》諸詩，知裴迪曾與王維同隱終南山及輞川山谷；而當天寶十五年安祿山陷兩京，王維被因於洛陽菩提寺，裴迪曾往探禁，王維有《菩提寺禁裴迪來相看說逆賊等凝碧池上作音樂供奉人等舉聲便一時淚下私成口號誦示裴迪》詩，這詩裴迪曾攜至靈武，爲唐肅宗所知，使得後來兩京收復時，王維得以免依六等定罪。以上諸詩都可以看出王維與裴迪兩人過從的密切。其實，拋開別的不說，只從王維《酌酒與裴迪》、《聞裴秀才迪吟詩因戲贈》等詩題看，也便知道兩人的友情是何等深厚而親密了。

輞川在陝西藍田縣西南，據李肇《國史補》的記載，王維所得的別業本爲初唐宋之問的別圃，其地山水絕勝，王維在《山中與裴迪秀才書》中有很精彩的描寫：

北涉玄灞，清月映郭。夜登華子岡，輞水淪漣，與月上下。寒山遠火，明滅林外，深巷寒犬，吠聲如豹，村墟夜舂復與疏鐘相間。此時獨坐，多思曩昔攜手賦詩，步仄徑，臨清流也。當待春中，草木蔓發，春山可望，輕鯈出水，白鷗矯翼，露濕青皐，麥隴朝雊。斯之不遠，儻能從我遊乎！

此書所寫雖然是輞川的夜景，而輞川一帶景物的清秀已經可見一斑，難怪王維要選擇此地爲娛親隱居之所。而王維在此地所作的詩篇，寫景攄志兩皆卓絕，這一方面固然是王維才情的表現，一方面恐怕也要歸功於山水的感發吧！

《輞川集》中所收的詩，據劉昫《舊唐書》本傳云：

晚年長齋，不衣文綵。得宋之問藍田別墅，在輞口，輞水周于舍下，別漲竹洲花塢，與道友裴迪浮舟往來，彈琴賦詩，嘯詠終日。嘗聚其田園所爲詩，號《輞川集》。

然則這二十首小詩，在當時本來是自成一帙的，而裴迪的和作二十首說不定也收在裡面，但這已經不可詳考了。

二

王維《輞川集》的寫作時間，《舊唐書》本傳只簡單地說是「晚年」（已見前引），不著確定時間。近人學者於此則有兩種不同的說法，陳貽焮認爲是安史亂前的作品㊄，盧懷萱則說是開元二十六年到二十八年間所作㊅。陳說雖稍籠統，卻也較無弊病，基本上，我是比較贊同他的說法，但覺得似乎還可以說得更確定一些。

要考定《輞川集》寫作的時間，首先必須知道王維是何時得到輞川別業的。王維在隱居輞川之前，曾在終南山隱居過。王維隱居終南山的時間，據王維的《終南別業》詩中有「中歲頗好道，晚家南山陲」之言，應當不會太早，陳貽焮據此時曾收入同時人芮挺章的《國秀集》中，而《國秀集》選開元以來詩作，下限爲天寶三年，因此推斷王維隱居終南山的時間爲開元二十八、九年以後，天寶三年以前㊆，其說頗爲合理，因爲開元二十八年王維四十歲，在此之前，似乎不應說是「晚（歲）」。

又王維的《請施莊爲寺表》中說：

臣亡母故博陵縣君崔氏，師事大照禪師三十餘歲，褐衣蔬食，持戒安禪，樂住山林，志求寂靜。臣遂于藍田縣營山居一所，草堂精舍，竹林果園，並是亡親宴坐之餘，經行之所。臣往丁凶釁，當即發心，願爲伽藍，永劫追福。比雖未敢陳請，終日常積懇誠。又屬元聖中興，群生受福。臣至庸朽，得備周行，無以謝生，將何答施。願獻如天之壽，長爲率土之君。惟佛之力可憑，施寺之心轉切。效微塵于天地，固先國而後家，敢以烏鼠私情。冒觸天聽，伏乞施此莊爲一小寺。

據此，知王維藍田輞川別墅係爲其母奉佛習靜所營，而王維之母親崔氏逝於天寶九年㊇，則王維之得輞川別墅應更在其前。合上文所考王維隱居終南山的時間爲開元二十八、九年至天寶三年推斷，王維之營居輞川別墅當在天寶三、四年至天寶八年間。又據表中有「又屬元聖中興」之言，知王維之捨莊爲寺蓋在乾元元年安史亂平，王維蒙赦罪復官不久，故王維之居輞川，當爲天寶三、四年以後迄乾元元年前後十餘年間。

王維居輞川雖前後十餘年，但《輞川集》的寫作卻只能在天寶三、四年至天寶九年間或天寶十一年至天寶十四年間，理由如下：

㈠天寶十五年，安祿山陷長安，玄宗幸蜀，王維扈從不及，爲賊所得，移拘洛陽。第二年（即至德二年）十月，收復東京，王維因曾被迫受僞官，與鄭虔、張通等俱囚於宣揚里，直至乾元元年始因凝碧詩聞於行在，且其弟王縉請削官贖維罪，特蒙免罪。此三年間不容閒居輞川甚明。

㈡天寶九年春至天寶十一年，王維丁母憂，《舊唐書》本傳稱其「居母喪，柴毀骨立，殆不勝喪」，而《輞川集》的詩卻多有流連景物，閒適自得之作，應非此三年間所宜有。

據上兩點，故我以爲《輞川集》的寫作只能在天寶三、四年迄天寶九年間或天寶十一年至天寶十四年間，而尤其以前者的可能性較大，因爲天寶十一年，王維服闕，回朝受吏部郎中之職，事稍繁劇，且新遭母喪不久，心情應有不同；而天寶三、四年迄天寶九年間，猶是李林甫把持政柄（李林甫卒於天寶十一年）。李林甫自掌權以來，排除異己，不遺餘力，張九齡之貶斥荊州即爲一例，而王維正是與張九齡同聲氣的人，所以在李林甫掌權期間，儘管王維也先後作過監察御史、殿中侍御史、左補闕、庫部郎中等官職，卻不見得受到應有的禮遇和重視。加上政治主張不同，王維在官場上從積極轉爲消極，因此經常往來輞川和京師間，過著半隱退的生活，應是產生《輞川集》這些作品的最可能時期。

以上是我對於《輞川集》寫作時間所抱持的看法，由於事乏顯證，不免參有臆測的因素在內。但我想合理的臆測，在沒有反證的情況下是可以容許的。

三

王維的《輞川集》二十首小詩，每首又各自有題目，透過詩人的彩筆，輞川山莊附近清麗幽美的景物，不論生物或無生物，都一一呈現在讀者的面前了，眞如前人所謂「狀難寫之景如在目前」㈨，非一般人所能企及，如就內容而言，這二十首小詩所表露的情感和描寫的對象也有不同，其中有感喟人生盛衰無常的，如

新家孟城口，古木餘衰柳。來者復爲誰，空悲昔人有（《孟城坳》）

有與佳客一面飮酒一面欣賞美景的，如

輕舸迎上客，悠悠湖上來。當軒對樽酒，四面芙蓉開。（《臨湖亭》）

有期待朋友來訪或留宿的，如

仄徑蔭宮槐，幽陰多綠苔。應門但迎掃，畏有山僧來。（《宮槐陌》）

結實紅且綠，復如花更開。山中倘留客，置此茱萸杯。（《茱萸沜》）

有暗示宦情冷淡的，如

古人非傲吏，自闕經世務。偶寄一微官，婆娑數株樹。（《漆園》）

文杏裁爲梁，香茅結爲宇。不知棟裡雲，去作人間雨。（《文杏館》）

有抒寫隱居生活的閒適與自在的，如

獨坐幽篁裡，彈琴復長嘯，深林人不知，明月來相照。（《竹里館》）

有表現對於神仙生活的想像或嚮往的，如

日飲金屑泉，少當千餘歲。翠鳳翔文螭，羽節朝玉帝。（《金屑泉》）

桂尊迎帝子，杜若贈佳人。椒漿奠瑤席，欲下雲中君。（《椒園》）

有描寫附近人家生活的，如

吹簫凌極浦，日暮送夫君。湖上一迴首，山青卷白雲。（《欹湖》）

清淺白石灘，綠蒲向堪把。家住水東西，浣紗明月下。（《白石灘》）

輕舟南垞去，北垞淼難即。隔浦望人家，遙遙不相識。（《南垞》）

此外，數量上占最多的，無疑是對於自然景物描寫，如：

秋山斂餘照，飛鳥逐前侶。彩翠時分明，夕嵐無處所。（《木蘭柴》）

空山不見人，但聞人語響。返景入深林，復照青苔上。（《鹿柴》）

颯颯秋雨中，淺淺石溜瀉。跳波自相濺，白鷺驚復下。（《欒家瀨》）

北垞湖水北，雜樹映朱欄。逶迤南川水，明滅青林端。（《北垞》）

木末芙蓉花，山中發紅萼。澗户寂無人，紛紛開且落。（《辛夷塢》）

這一類描寫自然景物的詩，不論所涉及的是動物或植物，甚或是無生物，都顯得那麼靜謐而安詳，大有「萬物靜觀皆自得」的情趣，我們知道王維晚年是長齋奉佛的，這一類詩似乎可以看出這種影響。然而王維畢竟不同於惟禪寂是耽的和尙，所以眼中的大自然還是充滿了活潑的生機，這與和尙所作詩的一味表現枯寂又大異其趣，朱熹曾說：「摩詰輞川詩，余深愛之，每以語人，輒無解余意者。」㈠道學家的朱夫子如此推重王維的輞川詩，也許就是因爲有見於此吧！

四

王維不僅是位偉大的詩人，同時也是位大畫家，《舊唐書》本傳稱其「山水平遠，雲峰石色，絕跡天機，非繪者所能」。由於他身兼畫家，對於大自然的觀察特別敏銳而深入，所以他的詩在寫景時，往往能捉住景物的特色，作準確而生動的表現，因而使他的詩充滿了畫意，這一點，早就經蘇東坡予以拈出，他說：「味摩詰之詩，詩中有畫。」㈡，坡翁此言的確指出了王維詩的特色。自東坡以後，就王維的具體詩句指出其富有畫意的例子更是指不勝屈，略舉數則如下：

右丞「遠樹帶行客，孤城當落暉」，帶字當字極佳，非得畫中三味者，不能下此二字㈢。

朱叔重嘗曰：「王右丞水田白鷺、夏木黃鸝之詩，即畫也。」㈢

王右丞詩云：「江流天地外，山色有無中」，是詩家極俊語，卻入畫三味㈣。

山下孤煙遠村，天邊獨樹高原，非右丞工于畫道，不能得此語㈤。

詩中有畫，畫中有詩，固是王維詩、畫的一般特色，而把「詩中有畫」這種特色表現得格外明顯的、恐怕要數《輞川集》。這其中寫景成分比較重的詩，如《文杏館》、《斤竹嶺》、《木蘭柴》、《鹿柴》、《茱萸沜》、《臨湖亭》、《南垞》、《欹湖》、《欒家瀨》、《白石灘》、《北垞》等，每一首詩刻劃景物都那麼精美而細膩，如同氣韻生動的山水冊頁。的確，像這樣的詩篇：

秋山斂餘照，飛鳥逐前侶。彩霞時分明，夕嵐無處所。（《木蘭柴》）

颯颯秋雨中，淺淺石溜瀉。跳波自相濺，白鷺驚復下。（《欒家瀨》）

詩人捉住特定時空底下景物的特點，連同光影和聲響都作了精緻的交代。讀了這樣的詩篇，委實有如同讀畫的感受，自然的美景經過詩人刻意的加工，更加聳人耳目，引人入勝了。

除此以外，《輞川集》中其他抒情成分較重的詩，如《竹里館》、《辛夷塢》、《柳浪》、《宮槐陌》等，或寫嘯傲竹林的幽居情趣，或寫山中芙蓉半凋的景象，或寫湖邊疏柳的姿態，或寫山中童子應門迎掃的情景，也都形象鮮明，帶有濃厚的畫意，像如下的詩句：

獨坐幽篁裡，彈琴復長嘯。深林人不知，明月來相照。（《竹里館》）

這不是一幅很生動的高士幽居圖嗎！

必須指出的一點是：《輞川集》中王維的二十首小詩，每首詩固然是自成一個畫面，把二十首集結起來，卻又構成一幅和諧的全景。根據記載，王維曾有《輞川圖》㈥，便是根據《輞川集》組詩的內容而繪的，所以《輞川集》組詩帶有繪畫的特點是十分顯然的，這一方面固然是因爲輞川附近景物本身的清麗幽美，同時也要歸功於詩人表達能力的高強及藝術修爲的深厚，所以能夠把自然的美轉化爲藝術的美，感動了後代無數的讀者。

五

最後，簡單地討論王維《輞川集》藝術形式和表現手法上的特點，作爲本文的總結。仔細考察《輞川集》諸詩的藝術形式和表現手法，我們可以發現至少具有下列幾個特點：

㈠《輞川集》中除了《漆園》和《椒園》兩首詩因爲結合地名馳騁聯想，分別用了《莊子》和《楚辭》的典故；另外，《金屑泉》用了「翠鳳」、「玉帝」等詞彙，勉強也可以算是用典。除此以外，其他的詩都是採用白描的手法，「多非補假，率由直尋」。㈦詩人以精潔樸素的語言，刻劃山水清景，卻顯得那麼生動突出，從這一點可以看出王維繼承了謝靈運山水詩的傳統，卻有所突破。中國的山水詩到劉宋時代的謝靈運，開出了一個新的局面，謝靈運以工麗的詩筆，描繪東南一帶的綿繡山河，產生了大量的山水詩，改變了當時喜愛抽象說理的玄言詩風，這種成就是了不起的。然而謝靈運的詩喜歡用典故，故其詩有時不免晦澀，難以索解，王維的山水詩則繼承了他模山範水的優點，揚棄了他好用典故的缺點，故王維以五絕、五律所寫的田園山水詩比起謝靈運，藝術成就達到了更高的境界，這是有目共睹的。

㈡《輞川集》中押仄韻的詩有《孟城坳》、《華子岡》、《文杏館》、《鹿柴》、《木蘭柴》、

《南垞》、《欒家瀨》、《金屑泉》、《白石灘》、《竹里館》、《辛夷塢》、《漆園》，共十二首。觀察唐人的近體詩，絕大多數是押平聲韻，王維的《輞川集》組詩押仄韻卻占了較多的比例，顯然是有意爲之，這是可注意的。此外，在聲調方面，《輞川集》中的詩拗體居多，平仄往往不合，以兩聯的關係來論，如《鹿柴》首聯的落句是「但聞人語響」，其聲調爲「仄仄平平仄仄」；下聯的出句是「返景入深林」，其聲調爲「仄仄仄平平」，是爲失黏。以一聯的聲調來看，如《臨湖亭》上聯的出句是「輕舸迎上客」，其聲調爲「平平平仄仄」；落句是「悠悠湖上來」，其聲調爲「平平平仄平」，是爲失對。其他如《鹿柴》的上聯及下聯、《漆園》的上聯、《北垞》的下聯、《臨湖亭》的上聯等也都是失對；以單句來看，平仄不合者更比比皆是，如「新家孟城口」（《孟城坳》），「飛鳥去不窮」「連山復秋色」（《華子岡》）、「香茅結爲宇」（《文杏館》）、「檀欒映空曲」（《斤竹嶺》）等，幾乎每首都有例子可舉。趙秋谷在《聲調四譜》中將絕句分爲古絕、拗絕，律絕三類，《輞川集》中的詩幾乎都該歸屬到古絕和拗絕兩類，可以發現作者是有意爲之，以追求一種類似民歌的自然聲調。就這點而言，《輞川集》似乎和六朝樂府小詩不無關係。

㈢《輞川集》裡的詩常用反襯，以動顯靜，寓靜於動，以達到更深沈的抒情或描寫效果，如《鹿柴》的上聯是以偶然的空山人語反襯山中長時間的寂靜，下聯是以落日的返照青苔反襯林中的茂密幽森，透過詩人反襯手法的描寫，「鹿柴」附近山區的幽靜被刻劃得更加深沈了。又如《欒家瀨》也是刻劃清幽景物的，但詩人卻透過颯颯的雨聲、淺淺的水聲以及白鷺的驚飛來進行描寫，眞是寫得有聲有色，這也是採用了反襯的手法。《輞川集》中其他類似的例子還有很多，這裡就不再引了。我們知道傳統水墨畫在畫月亮時，月亮本身通常不加顏色，只須在月亮的周遭用墨稍加渲染，一輪明月便顯現出來了。畫雪景時亦復如此。王維在《輞川集》中一再地使用了反襯的表現手法，是否和他同時身爲傑出的畫家有某種程度的關連，似乎也是一個值得考慮的問題。

總而言之，《輞川集》委實是傳統詩歌的精金美玉，突顯了王維在山水詩創作上的偉大成就，它之所以吸引廣大讀者的愛好，不是沒有道理的。

【附　註】

㈠聞一多在他的《唐詩大系》裡說裴迪生於公元七一六年，不知何所依據。
㈡見卷首《詩人爵里詳節》。
㈢此參用陳貽焮說，見所撰《孟浩然事跡考辨》，載《文史》一九六五年六月第四輯。
㈣此詩《萬首唐人絕句》題目作《答裴迪憶終南山》。裴迪原作題目爲《輞口遇雨憶終南山因獻絕句》。
㈤見其《王維生平事蹟初探》一文，載一九五八年五月《文學遺產》增刊第六輯。
㈥見其《王維的隱居與出仕》一文，《唐詩研究論文集》第二輯所收。
㈦同註㈤。
㈧茲從金丁說，見其《王維丁憂詩問質疑》一文，《唐詩研究論文集》第二輯所收。

⑨梅聖俞語，見《宋史》本傳。

⑩見《朱子語錄》。

⑪見《書摩詰藍田煙雨圖》一文。

⑫見《青軒詩輯》。

⑬見《鐵網珊瑚》。

⑭見《弇州山人稿》。

⑮見《畫禪室隨筆》。

⑯黃山谷有《題輞川圖》，見《山谷題跋》卷三。又秦少游有《書輞川圖後》，見《淮海題跋》。

⑰鍾嶸語，見《詩品》《序》。

參考書目

壹、專書類

《王右丞集》　劉辰翁校　《四部叢刊》本　商務印書館

《類箋王右丞詩集》　顧起經注　學生書局

《王右丞集箋注》　趙殿成注　中華書局

《王維研究》　莊申　萬有圖書公司
《王維評傳》　劉維崇　正中書局
《王維詩》　傅東華選注　商務印書館
《歌詠自然之兩大詩豪》　郭伯恭　商務印書館
《舊唐書》　劉昫等　鼎文書局
《新唐書》　歐陽修等　鼎文書局
《資治通鑑》　司馬光　世界書局
《讀史方輿紀要》　顧祖禹　樂天書局
《登科記考》　徐松　中華書局
《唐僕尚丞郎表》　嚴耕望　中研院史語所
《唐人行第錄》　岑仲勉　九思出版社
《中國禪宗史》　印順　慧日講堂
《漢魏兩晉南北朝佛教史》　湯錫予　鼎文書局
《詩毛經正義》　孔穎達　藝文印書館
《文心雕龍》　劉勰　商務印書館
《詩品》　鍾嶸　商務印書館

《唐音癸籤》　胡震亨　木鐸出版社
《唐才子傳》　辛文房　文津出版社
《苕溪漁隱叢話》　胡仔　長安出版社
《詩人玉屑》　魏慶之　九思出版社
《歷代詩話》　鍾嶸等　藝文印書館
《續歷代詩話》　孟棨等　藝文印書館
《清詩話》　王夫之等　明倫出版社
《清詩話續編》　毛先舒等　上海古籍出版社
《百種詩話類編》　臺師靜農主編　藝文印書館
《唐詩紀事》　計有功　中華書局

貳　單篇論文

〈中國詩與中國畫〉　錢鍾書　《中國文學研究叢編》所收　龍門書局
〈南宗山水畫祖——王維〉　汪伯琴　《大陸雜誌》十六卷五、六期
〈論王維對於中國南宗山水畫的影響〉　虞君質　《美術學報》第三期
〈王維交遊考〉　胡傳安　《人文學報》第三期
〈王維的園林思想〉　田博元　《幼獅文藝》四四卷二期

〈試論王維詩中的世界〉　柯慶明　《中外文學》六卷一、二、三期
〈禪宗對於王維詩風的影響〉　杜松柏　《海潮音》四八卷十期
〈嚴羽「以禪喻詩」試解〉　王夢鷗　《中華文化復興月刊》十四卷八期
〈「以禪喻詩」到「詩禪一致」〉　黃景進　《古典文學》第四集　學生書局
〈王維生平事蹟初探〉　陳貽焮　《文學遺產增輯》六輯
〈王維的隱居和出仕〉　盧懷萱　《文學遺產增輯》十三輯
〈王維丁憂時間質疑〉　金丁　《文學遺產增輯》十三輯
〈詩中有畫——試論王維詩的藝術特點〉　張志岳　《文學遺產增輯》十三輯
〈關於王維的山水詩〉　蕭滌非　《文史哲雙月刊》一九六一年一期

參、杜詩管窺

一、前言

唐代是詩歌最興盛的時代，無論就詩的質或量而言，都取得了空前的成就，不是其他時期所能比擬的。而在衆多的唐代詩人中，杜甫無疑是最重要的一位，這一方面是由於杜甫具備篤厚純摯的天性，加上儒家思想的陶冶，使得杜甫在他的作品中表露著豐富而深刻的情感和思想，體現了堅定而鮮明的人道主義精神。在他現存的一千四百餘首詩篇中，有的是親情的自然流露，有的是友情的眞摯描寫，更多的是對於時代的關切，對於國家的熱愛，對於受苦百姓的同情，所謂「窮年憂黎元，歎息腸內熱。」（《奉先詠懷》）。即使是在他描寫景物的作品中，也隨處可以體會到他那種民胞物與的懷抱之美，令讀者在深受感動之餘，對於他仁民愛物的偉大心胸不禁肅然起敬。此外，杜甫的作品帶有濃厚的寫實性，對於他所處的時代，尤其是安史之亂前後的唐代社會，杜甫在他的作品中，作了廣泛而深刻的反映，這是同時的其他詩人所遠不相及的。以上是就作品的內容而言，另外一方面，就作品的形式說，杜甫吸收了前代重要詩人和作品的優點加以陶鎔變化，杜甫的《戲爲六絕句》說：「未及前賢更勿疑，遞相祖述復先誰。別裁僞體親風雅，轉益多師是汝師。」（其六）所謂「親風雅」，所謂「轉益多師」，顯然是杜甫的現身說法、夫子自道。事實上，在杜甫的具體詩篇裡，這種從古代傑作中吸收養分的現象是很多的，而且杜甫所效法的對象並不局限於古人，它還包括當代人、甚至及於活潑生動的民間語言，譬如民歌。正由於杜甫的偉大天才，結合他的虛心能受，所以能奄有衆長，無論古體，五言或七言，都發展出最佳的成績，具有獨到的造詣，形成沈鬱頓挫的獨特風格，成爲對後世影響最深遠的詩人。

面對著這樣一位偉大的詩人，可以探討的方面當然很多，本文僅專就杜甫詩中的詩教意義和時代意義兩端略作說明。

詩教意義

所謂「詩教」，係指詩歌的教化功能而言，《禮記、經解》說：「溫柔敦厚，詩教也。」這裡所說的「溫柔敦厚」雖然專就《詩經》三百篇說，但也應該適用於後來的詩歌，因爲所謂「溫柔敦厚」主要是就性情上說的，詩歌作爲文學作品的一種，除了是時代的反映及作者情思的宣洩以外，其帶給讀者的正面影響，最主要而直接的便是性情的陶冶方面。所以凡是健康的詩歌，照理都會具有「溫柔敦厚」的教化功能，儘管其中或有深淺之分。針對著這點來說，在歷代詩人中，杜甫作品中所蘊含的詩教意義無疑是最深遠最廣大的，因爲杜甫是個感情豐富而眞摯的人，並且感情之發一皆出諸於正，而他這種純正的感情都深刻地表現在他的作品中，梁啓超說：「我以爲工部最少可以當得起情聖的徽號，因爲他的情感的內容，是極豐富的，極眞實的，極深刻的。他表情的方法又極熟練，能鞭辟到最深處，能將他全部完全反映不走樣子，能像電氣一般一振一盪的打到別人的心絃上。中國文學界寫情聖手，沒有人比得上他，所以我叫他做情聖。」㊀這段話說得很好。所以杜甫的詩具有偉大的感人力量，往往使得讀者感發興起，性情受到薰陶的益處。譬如讀了他有關妻子的詩，令人增伉儷之情；讀了他有關弟妹子女的詩，令人增天倫之情；讀了他有關交游的詩，令人增友誼之情；讀了他有關百姓受苦的詩，令人增加同胞之情：讀了他有關家國時代的詩，令人增加愛國之情。推而廣之，即使他流連景物的詩，令人讀了也會體認到他那顆無私的愛心，無形中受到潛移默化而不自覺。

歸納地說，杜甫詩中的詩教意義，我以爲至少包含四項：第一是倫理精神，第二是人道精神，第三是愛國精神，第四是非戰精神，茲分別論述如下：

倫理精神

君臣、父子、兄弟、夫婦、朋友是爲五倫，在傳統社會中，五倫涵蓋了人類社會中的所有人際關係，一個人如果五倫關係都處得好，做到「父子有親、君臣有義、夫婦有別、長幼有序、朋友有信」㊁，那便是做人的毫無缺憾。所以古時教人，首重五倫。杜甫以他誠摯的天資，在他的作品中，隨處流露至情至性，把倫理精神發揮得淋漓盡致，足以垂教後代。

(1)伉儷之情

《禮記·中庸》說：「君子之道，造端乎夫婦。」「夫婦」是五倫的根本，也是五倫中重要的一倫。杜甫的詩中提到妻子的地方不少，可以看出杜甫是個篤於愛情的人。他和他的妻子雖然飽經患難，流離辛苦，然而伉儷間卻是相敬相愛，終生不渝。他有一首題目爲《月夜》的詩：

今夜鄜州月，閨中只獨看。
遙憐小兒女，未解憶長安。
香霧雲鬟濕，清輝玉臂寒。
何時倚虛幌，雙照淚痕乾。

這首詩是天寶十五年（七五六）寫的，這時長安已破。這年的七月，唐肅宗即位於靈武，杜甫將家眷安置在鄜州西北的羌村居住，於八月中單身離開羌村，投奔肅宗，中途爲賊所得，送至長安。想到家小寄居在鄜州，自己身陷賊區，消息阻絕，不禁焦急萬分，因而有是詩之作。詩意本謂自己想念妻兒，卻偏從妻子望月思己說起，又以小兒女之不解憶作反襯，腹聯二句則想像妻子望月思己之情狀，最後歸結到來日團聚之熱望，眞是「語麗情悲」㊂，杜甫對於妻子穠摯的愛情表露無遺。

肅宗乾元二年（七六〇）十二月，杜甫攜家來到四川，藉著親戚朋友的幫助，在成都西郊的浣花溪畔構築草堂而居，此後的數年之間是杜甫一生中比較安定的時期，多年亂離，稍得喘息，所以心境比較開朗，這時期所作的詩如《江村》：

清江一曲抱村流，長夏江村事事幽。
自去自來梁上燕，相親相愛水中鷗。
老妻畫紙爲棋局，稚子敲針作釣鉤。
但有故人供祿米，微軀此外更何求。

詩中以輕快的筆調描寫夏日江村種種的幽事，而一種物我皆得其所的喜悅之情，從頷聯和腹聯中滲透而出，在老實樸素的筆墨中，從旁也表露了杜甫伉儷之間相敬相愛的情感。這時杜甫還有一首題爲《進艇》的詩：

南京久客耕南畝，北望傷神坐北窗。
晝引老妻乘小艇，晴看稚子浴清江。
俱飛蛺蝶原相逐，並蒂芙蓉本自雙。
茗飲蔗漿攜所有，瓷甖無謝玉爲缸。

詩中寫杜甫在晴朗的夏日攜帶著妻兒郊遊，自己引著妻子坐在船上，兒子則在清澈的水中嬉戲，眼中所見的是蛺蝶雙飛、芙蓉並蒂。儘管物質生活很簡單，只是茶漿瓷甖，然而內心卻覺得很充實，主要是因爲一家人能夠團聚在一處。看他「晝引老妻乘小艇」的句子，令人想見杜甫對於妻子的深情體貼，而「俱飛蛺蝶原相逐」一聯，景中寓情，更可以看出杜甫對於此刻夫妻之得以相依同命，是多麼感到欣慰自慶。

由於連年戰亂，多年來一直過著四處飄蕩的生活，杜甫對於妻子是有著一份愧咎之情的，他曾經說：「老妻寄異縣，十口隔風雪。誰能久不顧，庶往共飢渴。」（《自京赴奉先縣詠懷五百字》）又說：「何日干戈盡，飄飄愧老妻。」（《自閬中領妻子卻赴蜀山行》之二）都很清楚的反映了這一點。而這種愧咎之感顯然與摯愛之情是分不開的。杜詩中像這類流露鶼鰈情深的句子還有很多，此地就不再舉了。

(2) 親子之愛

杜甫是個對子女極爲慈愛的父親，這種情感也屢屢表現在他的詩中，他有一首詩題目是《憶幼子》：

驥子春猶隔，鶯歌暖正繁。
別離驚節換，聰慧與誰論。
澗水空山道，柴門老樹村。
憶渠愁只睡，炙背俯晴軒。

這詩是至德二年（七五七）作的，當時杜甫仍然滯留長安，妻兒則寄居鄜州，詩中的驥子是杜甫幼子宗武的小名。首句「驥子春猶隔」，是說父子自去年別離，至今春仍各在一方，言外一種思念迫切之情令人黯黯欲絕，趙汸說：「本是聽鶯歌而憶幼子，起用倒叙法，即所云『恨別鳥驚心』也。」㈣這是不錯的。頷聯「聰慧與誰論」一句，明確地反映了杜甫對於幼子的憐愛和得意，而結聯二句則描繪老父憶念幼子的神態，不但繪形，而且繪神，而眞情至性也於焉流露。

差不多在這一年的同時，杜甫又作了一首《遣興》：

驥子好男兒，前年學語時。

問知人客姓，誦得老夫詩。

世亂憐渠小，家貧仰母慈。

鹿門攜不遂，雁足繫難期。

天地軍麾滿，山河戰角悲。

儻得免相失，見日敢辭遲。

這詩也是憶念幼子的，前四句回憶從前，中四句感歎現在，後四句遙想將來。其中「世亂憐渠小，家貧仰母慈」二句，眞是寫出「愛隔情深」㊄；而結聯「儻得免相失，見日敢辭遲」二句，話雖說得輕鬆，焦急的心情卻表露無遺。

至德二年的四月，杜甫脫離長安，奔赴鳳翔行在。這年的八月，又離開鳳翔，回到羌村，與家人隔絕一年多，總算得以團聚，眞是悲喜交集。這時杜甫除了作《羌村》三首描寫初回家後的情況以外，又有一首《北征》，叙自鳳翔到羌村在路及到家之事，這是一首五古的長篇，其中說：

況我墮胡塵，及歸盡華髮。經年至茅屋，妻子衣百結。慟哭松聲迴，悲泉共幽咽。平生所嬌兒，顏色白勝雪。見耶背面啼，垢膩腳不襪。床前兩小女，補綴才過膝。海圖拆波濤，舊繡移曲折。天吳及紫鳳，顚倒在短褐。老夫情懷惡，嘔泄臥數日。那無囊中帛，救汝寒凜慄。粉黛亦解苞，衾裯稍羅列。瘦妻面復光，痴女頭自櫛。學母無不爲，曉妝隨手抹。移時施朱鉛，狼籍畫眉闊。生還對童稚，似欲忘饑渴。問事競挽鬚，誰能即瞋喝。翻思在賊愁，甘受雜亂聒。新歸且慰意，生理焉得說。

這一大段描寫歸家悲喜的情狀，仇兆鰲評說：「短褐以上，乍見而悲，極夫妻兒女至情；老夫以下，悲過而喜，盡室家曲折之狀；在賊四句，繳上以啓下，所憂在君國矣。」㈥的確不錯，別的且不說，只看「生還對童稚，似欲忘饑渴。問事競挽鬚，誰能即瞋喝」四句，一幅至情流露的天倫樂圖已經生動的展現在我們眼前了。

杜詩中表現兒女親情的作品散在全集中，像「熊兒幸無恙，驥子最憐渠」之類皆是，不勝枚舉，即此收住。

(3)手足之情

杜甫詩中想念他的兄弟和妹妹的篇什，前後共有二十幾首，處處都是至性流露，可以說明杜甫的手足情深。他早期的詩中有《得舍弟消息》二首：

近有平陰信，遙憐舍弟存。
側身千里道，寄食一家村。
烽舉新酣戰，啼垂舊血痕。

不知臨老日，招得幾人魂。

——其一

汝懦歸無計，吾衰往未期。
浪傳烏鵲喜，深負鶺鴒詩。
生理何顏面，憂端且歲時。
兩京三十口，雖在命如絲。

——其二

這兩首詩是天寶十五年（七五六）七月寫的，當時杜甫避亂羌村，接到弟弟杜穎從山東平陰縣寄來的家書，因作此詩。詩中慨歎因爲戰亂，遭致兄弟睽離，憐弟懦弱，歸家無計；己又衰老，往會未期；彼此資生艱難，深以自己作兄長的未能照顧弱弟爲恨。

次年元日，杜甫有一首《元日寄韋氏妹》的詩：

近聞韋氏妹，迎在漢鍾離。
郎伯殊方鎮，京華舊國移。
秦城迴北斗，郢樹發南枝。
不見朝正使，啼痕滿面垂。

杜甫有妹適韋姓，此時在鍾離（今安徽臨淮縣）。由詩中「郎伯殊方鎮」之句，可見其妹丈當時亦任三品以上的方鎭要職，「京華舊國移」句則因懷念妹氏而兼傷京師之淪陷。所謂「朝正使」是指元日上朝賀正之官，此指其妹丈而言。此時京師已淪陷，無復朝賀之禮，不見妹丈入朝，不禁啼垂滿面。全詩充滿了兄長關切弱妹的深情。

到了乾元二年（七五九）的春天，杜甫回到河南陸渾縣，這時又有《憶弟二首》之作，前首寫亂後分離，輾轉相憶。憂結成恨：後首則旣望弟歸鄉，又盼弟音書：句句都滲透著友于之愛，令人感嗟。這一年的詩中，爲弟妹而作的，尙有《得舍弟消息》、《月夜憶舍弟》等，久憶未得相聚，關切幼弟遭遇，甚至有「久念與存亡」的句子。而最沈痛的，莫過於是年冬天寓居同谷所寫的七首歌辭。這七首歌辭嗟嘆他拾橡栗挖黃獨苟延殘喘的貧士生活，懷想其弟穎、觀、豐三人各在異鄉，彼此音問隔絕，以及其妹在鍾離成爲寡婦，十年不得見面，眞是長歌當哭，引人泣下。詩的題目是《乾元中寓居同谷縣作歌七首》，茲錄其中有關弟妹的兩首如下：

有弟有弟在遠方，三人各瘦何人強。
生別展轉不相見，胡塵暗天道路長。
東飛駕鵝後鶖鶬，安得送我置汝傍。
嗚呼三歌兮歌三發，汝歸何處收兄骨。
——其三

有妹有妹在鍾離，良人早歿諸孤痴。

長淮浪高蛟龍怒，十年不見來何時。
扁舟欲往箭滿眼，杳杳南國多旌旗。
嗚呼四歌兮歌四奏，林猿爲我啼清晝。

——其四

諸弟在遠，生別輾轉，會見無期，終恐成爲死別，故有收骨之言；弱妹則良人早歿，獨撫諸孤，扁舟欲往，無奈干戈滿目，而且自身圖存救死之不暇，事實上也有所不能。眞是欲哭無淚，連林猿也要爲之悲啼了。

(4)朋友之誼

杜甫一生所交接的摯友很多，在入蜀前，有李邕、張旭、鄭虔、李白、王維等，在入蜀後，有韋偃、王宰、曹霸、李潮等，從杜甫詩中，可以看出他們來往的形跡，及彼此間篤厚的情誼。其中鄭虔是杜甫在長安時過從最密的朋友，他們曾經一起游玩山水，杜甫有《陪鄭廣文遊何將軍山林》十首紀其事。鄭虔當時作廣文館博士，是個冷官，杜甫很同情的懷才不遇，作了一首《醉時歌》：

諸公袞袞登台省，廣文先生官獨冷。紛紛甲第厭粱肉，廣文先生飯不足。先生有道出羲皇，先生有才過屈宋。德尊一代常坎軻，名垂萬古知何用。（下略）

詩中爲虔抱屈，情見乎辭。後來鄭虔陷賊中，收京後被貶爲台州司戶，杜甫作詩送他，題目是《鄭十八虔貶台州司戶，傷其臨老陷賊之故，闕爲面別，情見於詩》：

鄭公樗散鬢成絲，酒後常稱老畫師。
萬里傷心嚴譴日，百年垂死中興時。
蒼皇已就長途往，邂逅無端出餞遲。
便與先生應永訣，九重泉路盡交期。

後來杜甫經過鄭虔的故居，有《題鄭十八著作丈故居》之作；等到杜甫流浪在秦州，有詩懷念他，如《有懷台州鄭十八司戶》及《有所思》便是。鄭虔死後，杜甫非常傷心，有《哭台州鄭司戶蘇少監》及《八哀詩》悼念他。從這些詩中，都可以看出杜甫是多麼篤於友誼，有始有終，眞是「九重泉路盡交期」。

又如李白，杜甫對他的情誼也是很深厚的，集中可以看出兩人交情的，有《贈李白》、《與李十二白同尋范十隱居》、《冬日有懷李白》、《春日憶李白》、《天末懷李白》、《送孔巢父謝病歸遊江東兼呈李白》等詩，而最足以見杜甫對於這位天上謫仙人之情誼的，莫過於《夢李白》二首：

死別已吞聲，生別常惻惻。
江南瘴癘地，逐客無消息。
故人入我夢，明我長相憶。
恐非平生魂，路遠不可測。

魂來楓林青，魂返關塞黑。
君今在羅網，何以有羽翼？
落月滿屋梁，猶疑照顏色。
水深波浪闊，無使蛟龍得。

——其一。

浮雲終日行，游子久不至。
三夜頻夢君，情親見君意。
告歸常局促，苦道來不易。
江湖多風波，舟楫恐失墜。
出門搔白首，若負平生志。
冠蓋滿京華，斯人獨憔悴。
孰云網恢恢，將老身反累。
千秋萬歲名，寂寞身後事。

——其二

這兩首詩是乾元二年（七五九）在秦州所寫的，李白由於受到永王璘事件的牽累，在乾元元年被流夜郎，半道承恩放還。由於消息不通，杜甫對李白中途遇赦之事並不知情，所以前詩中對於李白放逐的處境非常擔憂，後詩則兼痛李白平生遭遇的不幸。詩意是極爲悲痛的，可見對李白的惓惓繫念。仇兆鰲評論此詩說：「千古交情，惟此爲至。然非公至性，不能有此至情，非公至文，亦不能寫此至性。」㈦事實的確如此。

(5)君臣之義

杜甫的平生大志，是希望透過君臣的相知，達到造福天下的弘願，所謂「致君堯舜上，再使風俗淳。」（《奉贈韋左丞丈二十二韻》）已經明確地揭示了他一生的抱負。爲了實現這種抱負，接近國君、恩結主知是唯一的管道。明白了這一層，就不難理解杜甫詩中對於時君所流露的惓惓忠誠之意了。有人以爲詩中所表現的忠愛時君之情，是由於杜甫太熱衷於祿位，顯然這是片面而不公平的說法。

表現杜甫忠愛思想最深切的，自推他的《自京赴奉先詠懷五百字》一詩，這詩曾被陳巖肖稱作「老杜一篇心跡論」㈧的，其中有一段說：

窮年憂黎元，歎息腸内熱。取笑同學翁，浩歌彌激烈。非無江海志，蕭灑送日月。生逢堯舜君，不忍便永訣。當今廊廟具，構廈豈云缺。葵藿傾太陽，物性固難移。

志在得君濟民，一片悃悃忠愛之忱，昔人謂：「《赴奉先》及《北征》，肝腸如火，涕淚橫流，讀此而不感動者，其人必不忠。」㈨實非溢美之辭。

當杜甫於至德二年從賊中逃出，前往鳳翔謁見肅宗，作《喜達行在所》三章，其中有「今朝漢社稷，新數中興年」之句，又作《述懷詩》，其中有云：

> 麻鞋見天子，衣袖露兩肘。朝廷愍生還，親故傷老醜。涕淚授拾遺，流離主恩厚。

痛定思痛，艱難忠愛之意從筆底眞率流出，使讀者爲之惻然感動。到乾元元年六月，杜甫因疏救房琯被貶，作《至德二載甫自京金光門出乾元初從左拾遺移華州掾因出此門》詩：

> 此道昔歸順，西郊胡正繁。
> 至今猶破膽，應有未招魂。
> 近侍歸京邑，移官豈至尊。
> 無才日衰老，駐馬望千門。

雖然遇貶，卻毫無怨懟之語，反以無才自解，極爲溫厚，結句仍然惓惓不忘朝廷之意。

到了大曆元年，杜甫在夔州作了一首《江上》詩，詩中說：「勳業頻看鏡，行藏獨倚樓。時危思報主，衰謝不能休。」舊臣憂主之意，至於老衰迄無少減，仇兆鰲說：「報主心切，雖衰年未肯自諉，此公之篤於忠愛也。」㊀的確不錯，所以宋眞宗讀了以後，要說「甫之詩皆不逮此」㊁了。

㈡人道精神

杜甫是具有廣博同情心的，他在詩中感嗟自己的不幸，往往即聯想到衆多的百姓也同樣在受苦，希望自己有能力去拯救他們，甚至犧牲自己也在所不惜，這是一種偉大的人道主義精神的表現。最顯著的例子。如上元二年（七六一）在四川所作的《茅屋爲秋風所破歌》，詩的前面叙說自己的茅草屋頂爲秋風所掀走，徹夜漏雨，通宵不能成寐，眞是苦不堪言，最後卻接著說：

安得廣廈千萬間，大庇天下寒士俱歡顏，風雨不動安如山。嗚呼！何時眼前突兀見此屋，吾廬獨破受凍死亦是。

推己及人，這是民胞物與的仁者襟抱，趙汸評論說：「此五句，公之用心有一夫不獲若己推而納諸溝中。」㊂確能抉發老杜這種與百姓休戚一體的偉大情懷。後來白居易的《試製布裘》詩：「安得萬里裘，蓋裹周四垠。穩暖皆如春，天下無寒人。」又《新製綾襖成感而有詠》詩：「爭得大裘長萬丈，與君同蓋洛陽城。」便是受到杜甫的感召影響的。

同樣的人道主義精神，也表現在他的《自京赴奉先縣詠懷五百字》詩中，這詩除了「窮年憂黎元，歎息腸內熱」兩句是杜甫直接表露他的心聲以外，在最後的部份，杜甫悲傷自己幼子的餓死，人世最大的慘事竟然發生在自己的身上，自悼自傷之不暇，接著卻說：

生常免租稅，名不隸征伐。撫跡猶酸辛，平人固騷屑。默思失業徒，因念遠戍卒。憂端齊終南，澒洞不可掇。

自己尙是簪纓世家，不納租稅，也不任兵役，尙且遭到這樣的不幸，一般老百姓所受的苦痛，更是可以推知。馳想及此，宜其要「憂端齊終南，澒洞不可掇」了。這樣處處關切民瘼，隨時以民生疾苦爲念，是何等的感人！

乾元二年冬，杜甫抵達同谷東南十里的鳳凰台，山勢高峻，人力無法登攀其頂，杜甫作了一首詩，題目就叫《鳳凰台》，詩中說：

> 恐有無母雛，飢寒日啾啾。我能剖心血，飲啄慰孤愁。心以當竹實，炯然無外求。血以當醴泉，豈徒比清流。……再光中興業，一洗蒼生憂。深衷正爲此，群盜何淹留。

這時雖是寓意之作，然而願意貢獻出自己的心血，以血當醴泉，肯作這樣的犧牲奉獻，無疑也同樣是人道精神的表現。

杜集中流露這種偉大同情心的詩實在很多，個別的詩句如「藥許鄰人斸」（《歸溪上簡院內諸公》）、「遺穗及衆多」（《張望補稻畦水歸》）、「拾穗許村童」（《暫住白帝復還東屯》）、「棗熟從人打」（《秋野》）、「堂前撲棗任西鄰」（《又呈吳郡》）等皆是，爲例不可殫舉。

杜甫這種崇高的人道精神，與儒家思想進步的一面是分不開的，孟子說：「老吾老以及人之老，幼吾幼以及人之幼」㊂，以及「親親而仁民，仁民而愛物」㊃，正是它的根源。宋黃徹《蛩溪詩話》說：「《孟子》七篇，論君與民者居半，其餘欲得君，蓋以安民也。觀杜陵『窮年憂黎元，歎息腸內熱』、『胡爲將暮年，憂世心力弱』、《宿花石戍》：『誰能扣君門，下令減征賦』、《寄柏學士》：『幾時高議排金門，各使蒼生有環堵』，寧令『吾廬獨破受凍死亦足』，而志在『大庇天下寒士』，其仁心廣大，異夫求穴之螻蟻輩，眞得孟子所存矣。東坡先生問老杜何如人，或言似司馬遷，但能名其詩爾。愚謂老杜似孟子，蓋原其心也。」的確是有見之言。

㈢愛國精神

杜甫對於自己國家是充滿著熱愛的，這種愛國精神表現在他詛咒胡人叛亂及關心時局的許多詩篇中，至德元年冬，杜甫身陷長安，是時房琯自請將兵收復兩京，結果在陳陶澤遭到慘敗，杜甫作了《悲陳陶》詩：

孟冬十郡良家子，血作陳陶澤中水。野曠天清無戰聲，四萬義軍同日死。群胡歸來雪洗箭，仍唱夷歌飲都市。都人迴首北面啼，日夜更望官軍至。

詩中爲這次戰爭的失敗而發出哀歌，一方面悼傷義軍死亡之慘，一方面憤慨胡人氣燄之盛，杜甫憂時愛國的精神昭然可鑑。同時所作的《悲青坂》，也反映了這種心情。

至德二年的春天，杜甫作了一首有名的詩《春望》：

國破山河在，城春草木深。
感時花濺淚，恨別鳥驚心。
烽火連三月，家書抵萬金。
白頭搔更短，渾欲不勝簪。

這首詩傷春憂亂，花鳥平時可娛之物，如今卻見之而泣，聞之而驚，可以想見杜甫的心境。

這年的秋天，諸將進勦長安，屢有戰功，杜甫有《喜聞官軍已臨賊境二十韻》詩；等到長安收復後，杜甫又作《收京三首》，抒寫了內心的喜悅，詩長不錄。

廣德元年（七六三）春，兩河收復，杜甫在梓州有《聞官軍收河南河北》之詩：

劍外忽傳收薊北，初聞涕淚滿衣裳。
卻看妻子愁何在？漫卷詩書喜欲狂。
白日放歌須縱酒，青春作伴好還鄉。
即從巴峽穿巫峽，便下襄陽向洛陽。

延續七年的安史之亂總算平定，國家恢復統一，不禁為之喜極而涕。全詩以輕快的筆調，抒寫內心興奮的激情，而這種激情是滲透著對於家國的熱愛在內的。

廣德二年，杜甫又作了一首《登樓》的詩：

花近高樓傷客心，萬方多難此登臨。
錦江春色來天地，玉壘浮雲變古今。
北極朝廷終不改，西山寇盜莫相侵。
可憐後主還祠廟，日暮聊為梁父吟。

廣德元年的十月，吐蕃攻陷京師，立廣武郡王承宏為帝，稍後為郭子儀所平定。是年十二月，吐蕃又陷松、維、保三州，國家的苦難接踵而來，令人傷心，故此詩首聯云：「花近高樓傷客心，萬方多難此登臨」，揭明主旨並點題，以下五六句承寫「萬方多難」，斥責吐蕃之不軌，對於國家的命運充滿信心。最後提到《梁父吟》，用諸葛亮的典故，有感傷當世無賢相之意，而自傷亦在其中。眞是憂憤深廣之作，把杜甫一腔感時憂國的情懷充分地表露無遺。

同類表現杜甫愛國精神的作品極多，個別的詩句如「胡命其能久，皇綱未宜絕。」（《北征》）、「胡塵踰太行，雜種抵京室」（《留花門》）、「似聞胡騎至，失喜問京華」（《遠遊》）、「不愁巴道路，恐濕漢旌旗」（《對雨》）、「莫令鞭血地，再濕漢臣衣」（《遣憤》）、「戎馬關山北，憑軒涕泗流」（《登岳陽樓》）等，皆是顯著的例子。

必須說明的一點是：杜甫的愛國精神往往是和忠君思想結合在一起的，這是因爲在過去專制的政治體制下，君主就代表著國家。所以杜甫許多忠愛時君的詩，不應只把它當作單純的對於一家一姓的擁護，事實上，其中是凝聚著崇高的愛國情操在內的。

(四)非戰思想

殘酷的戰爭往往造成妻離子散，家庭破碎。人爲的災害再沒有比戰爭更具有破壞性的。歷史上因爲戰爭而發生的慘劇，史不絕書。杜甫自然明白這點，所以杜甫反對好大喜功的開邊，反對無謂的戰爭。他有一首《兵車行》的詩，便充分地反映了他這種思想：

車轔轔，馬蕭蕭，行人弓箭各在腰。耶孃妻子走相送，塵埃不見咸陽橋。牽衣頓足攔道哭，哭聲直上干雲霄。道旁過者問行人，行人但云點行頻。或從十五北防河，便至四十西營田。去時里正與裹頭，歸來頭白還戍邊。邊庭流血成海水，武皇開邊意未已。君不聞，漢家山東二百州，千村萬落生荊杞。縱有健婦把鋤犁，禾生隴畝無東西。況復秦兵耐苦戰，被驅無異犬與雞。長者雖有問，役夫敢伸恨。且如今年冬，未休關西卒。縣官急索租，租稅從何出。信知生男惡，反是生女好。生女猶得嫁比鄰，生男埋沒隨百草。君不見，青海頭，古來白骨無人收。新鬼煩冤舊鬼哭，天陰雨濕聲啾啾。

此詩黃鶴以爲是爲天寶十年征南詔而作(一五)，單復則以爲是爲明皇用兵吐蕃而作(一六)，今據詩的內容，前言人哭，後言鬼哭，中言內郡凋弊，民不聊生，其譏刺開邊黷武的用意至爲明顯，而唐明皇晚年縱任邊帥，屢興兵事，征南詔、征吐蕃皆只是其中一端而已，全詩所包含的意義似乎遠更爲廣闊。總之，杜甫在此詩中，對於戰爭所帶給百姓的痛苦作了深刻的揭發，其非戰的思想是很明白的。

差不多與《兵車行》同時，杜甫又作了九首《前出塞》的連章詩，這是爲玄宗用兵吐蕃而傷秦隴百姓橫被征調作的，詩中所表露的非戰精神，可以說是《兵車行》的連續，其中如「君已富土境，開邊一何多」、「殺人亦有限，立國自有疆」等，都毫不閃躲地直接指陳了戰爭的非計。此時杜甫又有《送高三十五書記十五韻》之詩，詩的開頭就說：「崆峒小麥熟，且願休王師。請公問主將，焉用窮荒爲。」同樣表明了詩人反對盲目開邊輕啓戰爭的意見。

天寶十四年冬，安祿山初反之際，杜甫又作了《後出塞》五首，在這組詩中，杜甫的非戰思想作了又一次的表達，張綖評論這五首詩說：「《左傳》：兵猶火也，不戢自焚。前四章，著明皇黷武不戢，過寵邊將，啓其驕恣輕上之心；末章直著祿山之叛，以見明皇自焚之禍也。」這是不錯的。此後兵連禍結，連年不息，人命塗炭，滿目瘡痍，杜甫自身也受到了戰爭的影響，支離飄泊，這時耳聞目見，厭棄戰亂的作品更多了，像《新安吏》、《潼關吏》、《石壕吏》、《新婚別》、《垂老別》、《無家別》等皆是顯明的例子，錄《石壕吏》如下：

> 暮投石壕村，有吏夜投人。老翁踰牆走，老婦出門看，吏呼一何怒，婦啼一何苦。聽婦前致辭，三男鄴城戍。一男附書至，二男新戰死。存者且偷生，死者長已矣。室中更無人，惟有乳下孫。有孫母未去，出入無完裙。老嫗力雖衰，請從吏夜歸。急應河陽役，猶得備晨炊。夜久語聲絕，如聞泣幽咽。天明登前途，獨與老翁別。

詩中作者雖然沒有一句評論之語，然而詩中說三男應役，一男戰死，有孫方乳，媳婦無裙，老翁踰牆，老嫗夜往，一家之中，父子、兄弟、祖孫、姑媳，慘酷至此，這就是戰爭所帶來的悲劇。詩人的態度是很鮮明的。

必須特別說明的是：同樣是戰爭，有的是窮兵黷武的戰爭，有的是保土衛國的戰爭，前者爲了君主的好大喜功，草菅人命；後者則關係民族的存亡。杜甫所反對的是前一種戰爭，對於後一種戰爭，則站在擁護的立場，必須分別觀之。張綖說：「凡公此等詩，不專是刺。蓋兵者凶器，聖人不得已而用之。故可已而不已者，則刺之。不得已而用者，則慰之哀之。若《兵車行》、前後《出塞》之類，皆刺也，此可已而不已者也。若夫《新安吏》之類，則慰也。《石壕吏》之類，則哀也。此不得已而用之者也。然而天子有道，守在四夷，則所以慰哀之者，是亦刺也。」㈥已經大致說明了這點。

三、時代意義

歷史上每一位偉大的詩人，其作品的產生，大體上都以他的一生作爲背景，而個人的一生與他所處的時代有密切不可分的關係。所以經由一個詩人的作品，我們不僅瞭解作者的悲歡離合，他的得意及失意，並且可以體會出他所處那個時代脈博的律動，覺察出那個時代的特殊現實，這對於一個寫實作風的作者尤其如此。另外，一個偉大的詩人，必定在文學流變的歷史上扮演了一個他自己獨特的角色，具有嚴格的不可替代性。所以當一個作者充分發揮了他的文學才情，寫出一系列具有獨特風格的美好作品時，在某種意義上，他已經盡了他自己的一份職責。職是之故，本節論述杜甫詩歌的時代意義，分成兩方面進行說明：一是杜詩的鎔鑄古今、鬱作詩聖；二是反映亂離，蔚爲詩史。前者係就杜詩的藝術成就說的，後者則針對杜詩的寫實功能而言。

㈠鎔鑄古今、鬱作詩聖

前人論列杜詩，尊之曰詩聖，所謂「聖」乃是人格修養的最高境界，是一般人進德勵行的最高追求目標，因此說杜甫是「詩聖」，即是尊崇杜甫在詩歌方面的成就，已經達到最完美的造詣，可以作百代之師法。一般說來，這並不是溢美之辭，因爲杜甫的詩，融會了古人和今人所有的長處，冶爲一爐，的確各體皆備，開啓了後人無數的法門。施補華說：「少陵五言古，千變萬化，盡有漢魏以來之長，而改其面目，故於唐以前爲變體，於唐以後爲大宗，於三百篇爲嫡支正派。」㊇王阮亭說：「詩至工部，集古今之大成，百代而無異詞者。七言大篇，尤爲前所未有，後所莫及。蓋天地元氣之奧，至杜而始發之。」⑳胡元瑞曰：「五言律體極盛於唐……唯工部諸作，氣象嵬峨，規模宏遠，當其神來境詣，錯綜幻化，不可端倪，千古以還，一人而已。」㉑吳汝綸曰：「七律以老杜爲祖，極悲壯蒼涼沈鬱頓挫之妙，驚天拔地，可泣鬼神，前無古人，後無繼者，亙古絕今，一人而已。」㉒以上四人分別就杜甫的五古、七古、五律、七律作了評論，他們對於杜詩各體超邁古今的成就，幾乎衆口一辭，可見這是大家的公論。

其他且勿論，只談七律一體。五律和七律雖然都是唐代新興的詩體，但是五律的發展較早成熟，沈德潛說：「五言律陰鏗、何遜、庾信、徐陵已開其體，初唐人研揣聲音，穩順聲勢，其制大備。」㉓五言律的形式，在齊、梁的新體詩中已具雛型，在舊有的基礎上向前發展，自然比較容易。我們看初唐詩人如四傑及沈佺期、宋之問、杜審言等人，主要的成就都在五律一體，可爲佐證。至於七律一體，初唐詩人雖偶有所作，盛唐時如王維、李頎等亦工此體，但如謝肇淛所說：「詩中諸體，唯七律爲最難，非當家不能合作，盛唐唯王維、李頎頗臻其妙，然頎僅存七首，王亦祇二十餘首，而折腰疊字之病時時見之，終非射雕手也。」㉔眞正在七律方面，能夠把磅薄飛動的氣勢、深厚的情思和精嚴的詩律，三者融合無間的，杜甫是第一人。所以如果說七律到了杜甫才眞正達到了成熟的地步，那是不爲過言的。這一方面關乎作者的才器，一方面也與詩體本身發展的規律有密切的關連。

以杜甫自身而言，七律的形式，尤其在他入蜀以後的作品中，佔了很大的比重，在這時候，杜甫不僅以七律來描寫景物，以七律來贈答唱酬，而且以七律來抒發他感時憂國的情懷和飄泊支離的身世，往往尋常題目之中，起伏重盪，感慨深至，尤其像《諸將》、《詠懷古蹟》及《秋興》等組詩的出現，或指摘諸將，議論時事；或假借古蹟，抒寫情懷；或緬想家國，自傷身世；可謂眞正達到了沈鬱頓挫的地步。在七律這種詩體的發展上，樹立了一塊重要的里程碑，對後來的詩人，起著示範引導的作用。這是杜甫的偉大成就。

二、反映亂離，蔚為詩史

杜甫一生所處的時代，正當安、史之亂前後的唐朝。這是個大動亂的時代，戰爭使得多少人國破家亡，妻離子散，使得多少人避亂流亡，離鄉背井。經此一劫，大唐帝國的國勢固然因此由盛而衰，逐漸走向沒落，而更悲慘的是：全國廣大的百姓爲此飽歷亂離，辛苦備嘗。杜甫是個具有仁民愛物的廣博心胸的詩人，他關心國家，關心社會，尤其關心百姓的疾苦。他把他的所歷所經、所見所聞以及所思所感，深刻地表現在他的作品中，使他的作品充滿了濃厚的寫實性。他以詩的語言記錄了他所親歷的那個動亂的時代，爲自己贏得了「詩史」的美稱。《新唐書》本傳說：「甫又善陳時事，律切精深，至千言不少衰，世號詩史。」孟棨說：「杜逢祿山之亂，流離隴蜀，畢陳於詩，推見至隱，殆無遺事，故當時號爲詩史。」㈤胡宗愈說：「先生以詩鳴於唐，凡出處去就，動息勞佚、悲歡憂樂，忠憤感激，好賢惡惡，一見於詩，讀之可以知其世，學士大夫謂之詩史。」㈥陳巖肖說：「杜少陵子美詩多紀當時事，皆有據依，故號詩史。」㉗上引諸人的話，如「善陳時事」，如「推見至隱，殆無遺事」，如「讀之可以知其世」，如「紀當時事，皆有據依」，的確說明了杜詩的主要特點。

杜甫詩中反映現實的作品極多，譬如乾元二年所作的《新安吏》、《潼關吏》、《石壕吏》、《無家別》、《新婚別》、《垂老別》等，便是很重要的詩。據史書記載，乾元元年冬，郭子儀、李光弼等九節度使率兵二十萬圍攻佔據鄴郡的安慶緒，由於諸將的意見不齊及賊將史思明的增援，乾元二年三月初三，九節度使的軍隊大敗，「戰馬萬匹，惟存三千；甲仗十萬，遺棄殆盡。」㉘郭子儀等退守河陽，爲了補充兵員，推行了漫無限制而慘無人道的拉夫政策，史書對此並無記載。杜甫這時由洛陽趕往華州，親所目睹，於是產生了這六首詩，詩中除了反映事實之外，對於受苦的百姓充滿了同情，如《新安吏》：

> 客行新安道，喧呼聞點兵。借問新安吏，縣小更無丁。府帖昨夜下，次選中男行。中男絕短小，何以守王城。肥男有母送，瘦男獨伶俜。白水暮東流，青山猶哭聲。莫自使眼枯，收汝淚縱橫。眼枯即見骨，天地終無情。（下略）

丁男驅盡，役及中男，不管或肥或瘦，有母無母，及同行送行之人，同聲皆哭，慘狀可想。又如《石壕吏》一詩言役及老婦，亦殘酷已極，詩已見前文，茲不贅引。杜甫就是這樣以他的詩筆爲我們保存了史實。

然而，正如浦起龍所說：「少陵之詩，一人之性情，而三朝之事會寄焉者也。」㉙杜甫的詩反映了唐朝玄宗、肅宗、代宗三朝的事蹟和百姓的生活，同時也滲透著杜甫個人強烈的思想情感在其中，讓讀者感到作者的性情活躍在作品裡。也即是說：在杜甫詩中，叙事和抒情往往密切地結合在一起，個人的不幸和時代的災難往往不可分。這使得他大部份的作品，充滿了個人和時代的血淚，產生巨大的感人力量。如杜甫天寶十四年所作的《自京赴奉先縣詠懷五百字》和至德二年所作的《北征》，這兩首都是長篇的五言古詩，其中有叙事，有抒情，有紀行，有說理，有個人及家庭的不幸，有國家及百姓的苦難，豐富的內容交錯在一起，是詩人內心的自述，也是時代和社會的寫眞。又如《登岳陽樓》：「昔聞洞庭水，今上岳陽樓，吳楚東南坼，乾坤日夜浮。親朋無一字，老病有孤舟。戎馬關山北，憑軒涕泗流。」其中有叙事，有抒情，有寫景，五六句是個人身世的感慨，七八句則包含了對於時事的關切。杜甫的詩就往往如此地「慨世還是慨身」㊂，個人遭遇之痛和國家時事之悲融爲一體，難以分割，而使他的詩呈現了濃厚的寫實色彩。

四、結語

前文就杜詩的詩教意義及時代意義二端，已經分別作了簡單的論析。今天我們所面對的同樣是一個艱難的時代，我們讀杜甫的作品，除了賞鑒他在詩歌方面偉大的藝術成就以外，應該進一步體會杜甫偉大的人格，尤其應該效法他的人道精神、愛國精神和倫理精神，共同致力於社會的建設及現實的改善，以期達到一個更爲令人滿意的明日。

【附註】

㊀見〈情聖杜甫〉一文。
㊁見〈孟子、滕文公下〉。
㊂王嗣奭〈杜臆〉語。
㊃見仇兆鰲〈杜詩詳註〉卷四引。
㊄同註㊂。
㊅見〈杜詩詳註〉卷五。
㊆見〈杜詩詳註〉卷七。
㊇見〈庚溪詩話〉。
㊈仇兆鰲〈杜詩詳註〉引盧世㴶語。
㊉見〈杜詩詳註〉。
⑪見陳師道〈后山詩話〉引。
⑫見〈九家集註杜詩〉卷十引。
⑬見〈孟子、梁惠王〉上。
⑭見〈孟子、盡心〉上。
⑮見王道俊〈杜詩博議〉引。

⑯見仇兆鰲《杜詩詳註》引。
⑰見仇兆鰲《杜詩詳註》卷四引。
⑱見仇兆鰲《杜詩詳註》引。
⑲見《峴傭說詩》。
⑳見《漁洋詩話》。
㉑見《詩藪》內編。
㉒見高步瀛《唐宋詩舉要》卷五引。
㉓見《唐詩別裁》凡例。
㉔見《小草齋詩話》。
㉕見《本事詩、高逸》第三。
㉖見《成都新刻草堂先生詩碑序》。
㉗見《庚溪詩話》卷上。
㉘見《通鑑》卷二百二十一。
㉙見《讀杜心解、少陵編年詩目譜》。
㉚浦起龍語，見《讀杜心解》。

參考書目

壹、專著

《九家集註杜詩》　郭知達等集註　大通書局
《杜工部草堂詩箋》　蔡夢弼會箋　藝文印書館
《錢牧齋先生箋注杜詩》　錢牧齋注　大通書局
《杜詩詳註》　仇兆鰲注　文史哲出版社
《杜詩鏡銓》　楊倫注　華正書局
《杜臆》　王嗣奭　中華書局
《讀杜心解》　浦起龍　大通書局
《杜工部詩說》　黃生　中文出版社
《讀杜詩說》　施鴻保　中華書局
《杜甫研究》　蕭滌非　山東人民出版社
《杜甫傳》　馮至　北京人民文學出版社
《杜甫評傳》　陳貽焮　上海古籍出版社

《杜甫敘論》　朱東潤　木鐸出版社
《杜甫》　汪師雨盦　河洛圖書出版社
《杜甫年譜》　劉孟伉　學海出版社
《杜甫卷》　華文軒輯　明倫出版社
《舊唐書》　劉昫等　鼎文書局
《新唐書》　歐陽修等　鼎文書局
《資治通鑑》　司馬光　世界書局
《唐會要》　王溥　世界書局
《文獻通考》　馬端臨　新興書局
《登科記考》　徐松・中華書局
《唐國史補》　李肇　世界書局
《唐語林》　李讜　世界書局
《唐摭言》　王定保　世界書局
《雲溪友議》　范攄　世界書局
《酉陽雜俎》　段成式　源流出版社
《夢溪筆談》　沈括　世界書局

《毛詩正義》　孔穎達　藝文印書館
《楚辭集註》　朱熹　藝文印書館
《文心雕龍》　劉勰　世界書局
《唐詩紀事》　計有功　中華書局
《唐才子傳》　辛文房　文津出版社
《苕溪漁隱叢話》　胡仔　長安出版社
《詩人玉屑》　魏慶之　九思出版社
《唐音癸籤》　胡震亨　木鐸出版社
《歷代詩話》　鍾嶸等　藝文印書館
《清詩話》　王夫之等　明倫出版社
《清詩話續編》　毛先舒等　上海古籍出版社
《百種詩話類編》　臺師靜農主編　藝文印書館
《杜工部詩話集錦》　魯質軒　中華書局
《唐詩別裁》　沈德潛　商務印書館
《唐宋詩舉要》　高步瀛　學海出版社

貳、單篇論文

〈杜甫家世考〉　金啓華　《杜甫詩研究專集》所收　中國語文學社

〈杜甫的家世與幼年〉　杜呈祥　《大陸雜誌》特刊第二輯

〈李杜交遊新考〉　郁賢皓　《草堂》第五期

〈杜甫政治生涯的新探討——東川奔走眞相的解釋〉　楊承祖　《文史論文集》　商務印書館

〈論杜甫詩的儒家精神〉　黃芝崗　《杜甫研究論文集》第一輯　北京中華書局

〈談杜甫詩中仁民愛物之儒家精神〉　汪師雨盦　《中央月刊》五卷五期

〈詩中之史〉　賀昌群　《文史》第三輯

〈詩史淺論〉　馮至　《杜甫研究論文集》三輯　北京中華書局

〈詩史觀念的發展〉　龔鵬程　《古典文學》第七集

肆、李義山之兄弟姊妹考

近人楊柳著《李商隱評傳》，其書於李義山生平事蹟叙述相當詳盡，堪稱爲同類著作中之佼佼者，因是流播頗廣。但其書中所記內容，亦有與事實不符者，宜當辨之。如書中第二章第二節記李義山之兄弟姊妹，最後結論云：

> 看來，李嗣（雄案：即義山之父）一共育有三女二子，三女即前面所提到的裴氏姊（二女）、徐氏姊（三女）以及不知生平的伯姊（長女）；二子即商隱（長子）、羲叟（幼子）。李嗣於憲宗元和九年（西元八一四年）罷獲嘉令，幕遊浙江；至穆宗長慶元年（西元八二一年），死於江南幕府。在這六、七年中是否生過子女呢？這就不得而知了。李商隱在詩文中經常提到的弟妹很多，筆者認爲是衆弟妹，而不是胞弟妹。㈠

這一段話即有兩個問題，首先是李義山除了有三個姊姊，還有一個妹妹；除了仲弟羲叟外，義山至少還有兩位幼弟。楊柳遺漏了他的一位妹妹和羲叟以下的兩位弟弟。其次是楊柳把李義山的弟妹分爲胞親弟妹及衆弟妹兩類，這是相當牽強的，至少從文獻中看不出來有這種區別。

《舊唐書》及《新唐書》本傳對李義山之家世叙述很簡略，欲考知義山之家世，義山所撰《祭徐姊夫文》㈡、《祭徐氏姊文》㈢、《祭小姪女寄寄文》㈣、《祭裴氏姊文》㈤、《請盧尙書撰故處士姑臧李某誌文狀》㈥、《請盧尙書撰李氏仲姊河東裴氏夫人誌文狀》㈦、及《樊南甲集序》㈧、《上李舍人狀七首》㈨等是重要的資料。茲據以上之資料，旁參義山其他詩文，略考義山之諸弟及姊妹事蹟如後：

一、李羲叟

《舊唐書·李商隱傳》云：「弟羲叟亦以進士擢第，累爲賓佐。」義山諸弟中在史文中提到的只此羲叟一人，據義山的《樊南甲集序》：「仲弟聖僕，特善古文，居會昌中進士，爲第一二。」「聖僕」下自註云：「羲叟。」及《請盧尙書撰故處士姑臧李某誌文狀》有「商隱與仲弟羲叟……」之文，知羲叟爲義山的仲弟，字聖僕。義山《祭裴氏姊文》稱裴氏姊去世時，「此際兄弟，尙皆乳抱」，此所言「弟」當即羲叟，據「尙皆乳抱」之文，可知羲叟之年歲與義山應相差不大，不得超過兩歲以上。據《請盧尙書撰故處士姑臧李某誌文狀》云：「商隱與仲弟羲叟、再從弟宣岳等，親授經典，敎爲文章。」知羲叟幼時曾與義山同受敎於其叔父李處士㈩的門下，學爲文章。羲叟與義山年歲雖相近，中進士卻比義山晚得多，義山舉進士在文宗開成二年（西元八三七年），羲叟卻遲至宣宗大中元年（西元八四七年）始登進士第，是年義山《有獻侍郎鉅鹿公啓》云：「今月某日，舍弟新及第進士羲叟處，伏見侍郎所制詩一首。」⑪又有《喜舍弟羲叟及第上禮部魏公》五律一首，詩云：

> 國以斯文重，公乃內署來。風標森太華，星象逼中台。朝滿遷鶯侶，門多吐鳳才。寧同魯司寇，惟鑄一顏回。㊁

魏公即魏扶，扶爲漢魏歆之後，歆曾爲鉅鹿太守，故以鉅鹿爲郡望。據《舊唐書·宣宗紀》，大中元年三月，禮部侍郎魏扶奏所放進士三十三人。故義山此詩後半稱美其廣造人才。

義叟登第雖在大中元年，釋褐則在大中三年（西元八四九年），是年義山有《謝座主魏相公啓》云：「伏奉前月二十八日敕旨，授祕書省校書郎、知宗正等表疏，續奉今月五日敕，改授河南府參軍，依前充職者。小宗伯之居士，早辱搜揚；大宗正之荐賢，又蒙抽擢。未淹旬日，再授班資。」㊂又有《謝宗卿啓》云：「伏蒙奏署知表疏奏，伏奉前月二十八日敕旨授祕書省校書郎，續奉今月五日敕改授河南參軍者，……感結所至，死生以之。即以今月某日，發赴所職。」㊃此二文皆是義山爲義叟代作，據此二文，知義叟釋褐爲秘書省校書郎，後改授河南府參軍。

此外，義叟之婚姻，據義山《寄太原盧司空三十韻》詩：「義之當妙選。」自注云：「小弟義叟早蒙眷以嘉姻。」盧司空即盧鈞，知義叟所娶爲盧氏女。盧鈞檢校司空兼尹太原，在大中六年（西元八五二年），義山此詩當即是年所作㊄，故知義叟娶盧氏女係在大中六年以前。另據義山《祭小姪女寄寄文》云：「爾生四年，方復本族。既復數月，奄然歸無。」寄寄即義叟之女，祭文爲會昌四年（西元八四四年）作㊅，然則義叟之娶宜更在會昌元年（西元八四一年）之前。又據義山《上李舍人狀四》云：「舍弟義叟，苦心爲文，十二叔憫以弟兄孤介無徒，辛勤求己。」及《上李舍人狀七》

云：「舍弟介特好退，龍鍾寡徒，獲依彊宗，頓見榮路，忻慰之至。」李舍人爲義山族叔，據狀中「獲依彊宗」之語，與《祭姪女文》「方復本族」之語合看，似羲叟嘗過繼族叔李舍人爲子。羲叟之生平，據傳世之文獻，可知者如此而已。

二、其他幼弟三人

義山之下除仲弟羲叟而外，尚有不詳其名者三人，義山《祭徐氏姊文》云：

> 以頑陋之姿，辱師友之義，獲因文筆，實忝科目。三千有司，兩被公選。再命芸閣，叨跡時賢。仲季二人，亦志儒墨。於顯揚而雖未，在進修而不隳。

此文自「叨跡時賢」以上爲義山自言其登第、試判拔萃及兩度任職秘書省之經過，自「仲季二人」以下是義山說明諸弟之進修不怠，以告慰先姊之靈。既云「仲季二人」，則除仲弟羲叟外，義山另有季弟，可以斷言。《祭徐氏姊文》又云：

> 伏以奉事大族，載屬衰門，三弟未婚，一妹處室。息胤猶闕，家徒索然。

此文「三弟未婚」與「一妹處室」對舉，是謂有三位弟弟尚未成婚。此文爲會昌三年（西元八四三年）所撰，而義山仲弟羲叟娶盧氏女在會昌元年以前，已如前考，則此尚未成婚之三位弟弟當不含羲叟在內，足覘義山之下，除仲弟羲叟而外，尚有幼弟三人。惜文獻不足，此三人之名字及事蹟皆已不可詳考了。

三、伯姊

義山詩文中言及其伯姊者惟有兩處，一處是《祭裴氏姊文》，文中言自獲嘉迎裴氏姊之靈回滎陽祖塋安葬，其下文云：

今則南望顯考，東望嚴君，伯姊在前，猶女在後，克當寓殯，歸養幽都。雖歿者之宅永安，而存者之追攀莫及。

一處是《祭小姪女寄寄文》，文中云：

嗚呼！滎水之上，壇山之側，汝乃曾乃祖，松檟森行。伯姑仲姑，冢墳相接。汝來往於此，勿怖勿驚。華綵衣裳，甘香飲食。

後文中所提到之「仲姑」是指義山的裴氏姊，「伯姑」當即前文中所提到的義山伯姊。義山之伯姊似在義山出生前即已辭世，由其葬於李家祖塋覘之，義山此位伯姊或在未適人之前即已夭折了。

四、裴氏姊

裴氏姊即義山之仲姊，據義山《請盧尙書撰李氏仲姊河東裴氏夫人誌文狀》云：

仲姊生稟至性，幼挺柔範。潛心經史，盡妙織紝。鍾曹禮法，劉謝文采。

知義山仲姊稟性聰慧，既工於織紝女工之事，且自幼熟讀經史，善於爲文。同文又云：

年十有八，歸於河東裴允元，故侍中耀卿之孫也。既歸逢病，未克入廟。實歷周歲，奄歸下泉。時先君子罷宰獲嘉，將從他辟，遂寓殯於獲嘉之東。

知義山仲姊十八歲出閣，夫婿爲河東裴允元。可惜此婚事並不美滿，據義山《祭裴氏姊文》云：「愛女二九，思託賢豪。誰爲行媒，來荐之子？雖琴瑟而著詠，終天壤以興悲。」《世說新語》載謝安之女謝道韞適王凝之，對凝之頗不滿意，歸寧時曾有「不意天壤之中乃有王郎」之語㈦，義山文中「終天壤以興悲」之句本此，由此覘之，義山仲姊之適裴允元，似爲遇人不善，所謂「既歸逢病，未克入廟」，應是諱飾之辭。婚後不久即返娘家㈧，隨即抑鬱成疾，一年之後即撒手人寰，則是實情。

《請盧尙書撰李氏仲姊河東裴氏夫人誌文狀》又云：

至會昌三年，……距仲姊之殂，已三十一年矣。

由會昌三年逆推三十一年，爲憲宗元和八年（西元八一三年），義山仲姊即卒於是年，死時爲十九歲。而其時義山尙在乳抱，「初解扶床」㈨，仍爲嬰孩。當時因義山父親罷獲嘉令，將南赴浙江遊幕，故將義山仲姊暫寓殯於獲嘉。《請盧尙書撰李氏仲姊河東裴氏夫人誌文狀》又云：

卜於明年正月日歸我祖考之次、滎陽之壇山。

狀爲會昌三年撰，知義山仲姊歸葬時間在會昌四年（西元八四四年）正月。

五、徐氏姊

徐氏當是義山之三姊，適徐。據義山《祭徐氏姊文》云：

始某兄弟，初遭家難。内無強近，外乏因依。祇奉慈顏，被蒙訓勉。及除常制。方志人曹。

文中所云「家難」指喪父而言，義山居父喪在穆宗長慶元年（西元八二一年）⑳，玩上引文意，知其時義山三姊尚未出閣，義山兄弟頗蒙照顧及訓勉。及其適徐之後，仍經常接濟母家，此種經濟上及精神上之支持，甚至維持到義山三姊去世後，乃由其徐氏姊夫繼續不輟，義山《祭徐姊夫文》云：

始者仲姊有行㉑，獲託貴族。半產以資於外姓，闔家冀託於仁人。將以衰微，倚爲藩援。不圖薄祐，天奪初心。仲姊凋殂，諸甥不育。以親以懿，翻爲路人。再號再呼，莫訴蒼旻。尚以君子，存伉儷之重，敦行李之私。二十年以來，雖事睽而意通，跡遙而誠密。神當自鑒，愚豈敢忘？

可以證明這點。義山三姊適徐雖年代無考，其卒年則有資料可稽，因她卒後暫厝於李家，直至其夫婿去世後，始由徐家的人來奉迎合葬，義山因而有《祭徐氏姊文》之作。而義山徐姊夫之歿約在義山喪母後數月，則奉迎合葬，當在義山母喪將期之時。義山居母喪在會昌二年㉒，奉迎合葬當爲會昌三年。據此時所作《祭徐氏姊文》中有「追訣慈念，一十八年」等語，由會昌三年上推十八年，是爲敬宗寶曆二年（西元八二六年），此即徐氏姊之卒年㉓。據《祭徐氏姊文》又云：

然有以沒齒懷恨，粉身難忘者，以靈之懿茂，而不登遐壽。不生賢人，使別女致哀，猶子爲後，哀哀天地，云胡不仁！默默神祇，其何可訴？今嵩、臭二子，既爲我甥，誓當撫之，以慰幽抱。

謂之「別女」，可見非義山姊所自出；又立姪子徐嵩、徐臭爲後，可見義山三姊未有親生子嗣。造化弄人，似於義山諸姊爲尤酷。

六、幼妹一人

義山除上面有姊三人以外，下面尚有弱妹一人。據《祭裴氏姊文》云：

既登太常之第，復忝天官之選。免跡縣正，刊書祕丘。榮養之期纔通，啓動之期有漸。而天神降罰，艱棘再丁。弱弟幼妹，未笄未冠。

文中所謂「艱棘再丁」指遭遇母喪，義山居母喪在會昌二年，又《禮記·內則》云：「十有五年而笄。」知會昌二年時義山此位幼妹尚未滿十五歲。復據《祭徐氏姊文》有「三弟未婚，一妹處室」之語，祭文作於會昌三年，又可知幼妹其時猶未適人。由於資料所限，對於義山此位幼弱，吾人所知就只這些了。

以上根據有關文獻，對義山之兄弟姊妹略作小考，知義山有弟四人，仲弟羲叟，其餘三位幼弟名字不詳。此外，義山有姊三人，仲姊適裴允元，三姊適徐；另有幼妹一人，姊妹合共四人。其中伯姊在義山出生前先已去世，仲姊復卒於義山嬰抱之時，和義山相處較久的就只其三姊及幼妹。因此，楊柳謂義山父親李嗣只育有三女二子，其說顯然有誤。且就以上資料看，亦難分別孰爲義山之胞弟妹孰爲義山之衆弟妹。

另外，張淑香於其《李義山詩析論》中云：

到了穆宗長慶元年，義山十歲的時候，他父親就去世了。於是他就扶柩送母親回鄭州。……遭遇到這樣的巨變，其淒慘可知。而且他是長子，有兩姊三弟一妹，都要依賴他，所以，在故鄉喪服期滿之後，爲了謀生，他就移家到洛陽，靠傭書販舂爲活。㈣

文中云義山喪父後，「有兩姊、三弟一妹都要依賴他」，此語亦不合事實，如前文所考，當義山喪父時，其伯姊、二姊皆早已先卒，只有三姊尚在，不得云「兩姊」；又義山諸弟合羲叟而言，實有四人，其時皆在，說「三弟」亦非實情。因草此小文，於文末一併及之。

【附　註】

㈠據本鐸出版社重排本頁二十四。
㈡見馮浩編訂《樊南文集》卷六。
㈢同註㈠。
㈣同註㈡。

(五)同註(二)。

(六)見錢振倫、錢振常箋注《樊南文集補編》卷十一。

(七)同註(六)。

(八)見馮浩編訂《樊南文集》卷七。

(九)見錢振倫、錢振常箋注《樊南文集補編》卷六。

(一〇)李處士不詳其名，當是義山族叔，義山另有《祭處士房叔父文》，見馮編《樊南文集》卷六。

(一一)見馮編《樊南文集》卷三。

(一二)見馮浩《玉谿生詩集箋註》卷二。

(一三)見馮編《樊南文集》卷三。

(一四)同註(一三)。

(一五)馮浩《玉谿生年譜》及張爾田《玉谿生年譜會箋》均繫此詩於大中六年。

(一六)馮浩《玉谿生年譜》及張爾田《玉谿生年譜會箋》同繫此文於會昌四年。

(一七)見《賢媛》第十九。

(一八)張爾田《玉谿生年譜會箋》以爲大歸，疑近是。

(一九)義山《祭裴氏姊文》：「靈沈綿之際，殂背之時，某初解扶床，猶能記面。」

(二〇)馮、張二譜同。

(二一)義山於裴氏姊及徐氏姊皆稱爲「仲姊」。甚可奇怪，馮浩已疑之。

㉜馮浩《玉谿生年譜》繫於會昌三年，張爾田《玉谿生年譜會箋》繫於會昌二年，茲從張譜，馮云：「遭母喪當在二年三年中，玩諸祭文可證。」是馮氏於二年、三年亦未有定說也。

㉝馮浩於義山徐氏姊之卒未繫年，張爾田則繫於文宗太和元年（西元八二七年），其下注云：「案文集《祭徐氏姊文》曰『追訣慈念，一十八年』祭文會昌四年作，數之當在此年。」然考《祭徐氏姊文》之作，實在會昌三年，馮、張二譜皆同。張氏於此蓋一時失檢，致推算義山徐氏姊之卒年亦誤。

㉞見藝文版該書頁二一二。

參考書目

《李義山詩集輯評》　沈厚塽輯評　學生書局

《玉谿生詩集箋注》　馮浩　里生書局

《玉谿詩謎》　蘇雪林　商務印書館

《李商隱研究》　吳調公　上海古籍出版社

《李義山詩析論》　張淑香　藝文印書館

《李商隱評傳》　楊柳　木鐸出版社

《李商隱詩研究》　黃盛雄　文史哲出版社

《李商隱詩歌集解》　劉學鍇等　上海古籍出版社
《樊南文集》　馮浩詳註本　上海古籍出版社
《樊南文集補編》　錢振倫等箋註本　上海古籍出版社
《玉谿生年譜》　馮浩　《玉谿生詩箋注》附錄　里仁書局
《玉谿生年譜會箋》　張爾田　中華書局
《玉谿生年譜會箋平質》　岑仲勉　《玉谿生年譜會箋》附錄　中華書局
《舊唐書》　劉昫等　鼎文書局
《新唐書》　歐陽修等　鼎文書局
《資治通鑑》　司馬光　世界書局
《唐會要》　王溥　世界書局
《登科記考》　徐松　中華書局
《唐僕尙丞郎表》　嚴耕望　中研院史語所

伍、論李義山詩之用典

一、前言

詩是最精約的語言，它必須以最少的文字，表達豐富的思想和複雜的情意，故有時不免要引用古人的故事和成語，藉以達到「舉事以類義，援古以證今」㈠的效果，這就是所謂「用典」，古人稱爲「用事」㈡。詩中「用典」，除了可以化繁爲簡，能把要眇難達的情意，濃縮於會心莫逆之間，這是文體本身的要求；除此以外，「用典」還具有暗示、比喻和象徵的作用，可以使讀者產生多方面的聯想，從而使詩的感染力增加。因爲每一個典故的自身，即是一個小小的完整的世界，一首詩中用了若干典故，等於在詩句的背後，隱伏了幾個小小的世界，無形中增加了詩境的廣度和深度㈢。因此，「用典」是屬於積極的修辭手法，這該是毫無疑義的。近人何敬群說詩家使事用典，正如「勇士之弓刀，美人之膏澤。」㈣這個譬喻極好，但是同樣用典，卻也有巧拙之殊，巧於用典者，於一篇之中運一二故實，既可資爲佐證，又可以增加文義的波瀾；拙於用典者，則全借古語，以申今情，徒矜淹博，而眞氣盡失，成爲古人的奴隸。明朝王世懋說：「善使故事者，勿爲故事所使，如禪家云：『轉法華，勿爲法華轉。』使事之妙，在有而若無，實而若虛，可言悟，不可言傳，可力學得，不可倉卒得也。」㊄此語極精，宜可三復。

從來詩家用典之妙，莫如杜子美。子美讀書破萬卷，又將故實融化在自家的才氣中，故一經剪裁入詩，如從自家胸臆中流出，「百家稗官，都作雅音；馬浡牛溲，咸成鬱致」㊅，宛轉清空，一氣鼓盪，雖蠶之呑桑吐絲，蜂之採花釀蜜，何以過之！子美而後，用典多而且工妙者，在晚唐則有李義山。義山作詩，喜歡因事見義，前人已多言之，如宋朝黃徹便說：「李商隱詩好積故實，如《喜雪》云：『班扇慵裁素，曹衣詎比麻。鵝歸逸少志，鶴滿令威家。』又『洛水妃虛妒，姑山客謾誇。聯辭雖許謝，和曲本慚巴。』一篇中用事者十七八。」㊆這話是不錯的，他雖然只舉一首詩爲例，但義山詩的好用典實，已可概見。尤其律詩中的頷聯及頸聯，義山桓喜援引故事，裁成對語，借比托而說明他的本意。如「劉放未歸雞樹老，鄒陽新去兎園空。寂寥我對先生柳，赫奕君乘御史驄。」（《喜聞太原同院崔侍御臺拜兼寄在臺三二同年之什》）「湘淚淺深滋竹色，楚歌重疊怨蘭叢。陶公戰艦空灘雨，賈傅承塵破廟風。」（《潭州》）「苦吟防柳惲，多淚怯楊朱，野鶴隨君子，寒松揖大夫。」（《西溪》）「未肯投竿起，惟歡負米歸。雪中東郭履，堂上老萊衣。」（《崔處士》）等皆其例。

義山律詩中，又有八句皆用典的，如《淚》：

永巷長年怨綺羅，離情終日思風波。
湘江竹上痕無限，峴首碑前灑幾多。

人去紫臺秋入塞，兵殘楚帳夜聞歌。
朝來灞水橋邊問，未抵青袍送玉珂。

此詩前六句屬對矜整，連說六種眼淚，妙在字面皆不出「淚」字，末二散行，以「未抵」二虛字大力承挽，化外在爲內在，結出正意，這是義山結構很特別的一首詩。

對於義山詩的好用典故，在昔學者頗有微詞，如宋蔡寬夫云：「義山詩合處信有過人，若其用事深僻，語工而意不及，自是其短。」㈧又范景文也說：「前輩云詩家病使事太多，蓋皆取其與題合者類之，如此乃是編事，雖工何益？李商隱人日詩云：『文王喩復今朝是，子晉吹笙此日同。舜格有苗旬太遠，周稱流火月難窮。縷金作勝傳荆俗，翦綵爲人起晉風。獨想道衡詩思苦，離家恨得二年中。』正如前語。」㈨兩人對於義山詩的多積故實都有不滿之意，但語尙保留。放情攻擊則有譏諷義山寫作詩文爲「獺祭魚」者㈩，案獺本是一種水獸，其形如小狗，居於水中，常捕捉許多魚陳列於水邊，然後依次進食，如人陳列食品祭祀一般，故俗稱爲「獺祭魚」。評者蓋謂義山寫作詩文，喜堆砌故實，往往檢閱書冊，左右鱗次，有若獺祭，故以爲譏。義山詩因多用典故而招致古人之批評者，大抵類此。但古人也有對義山的用典表示推崇的，如宋許顗便說：「李義山詩字字鍛鍊，用事婉約。」㈡又張戒也說：「『地險悠悠天險長，金陵王氣應瑤光。休誇此地分天下，只得徐妃半面妝。』李義山此詩非誇徐妃，乃譏湘中也。義山詩佳處，大抵類此，詠物似瑣屑，用事似僻，而意則甚遠。」㈢兩人於義山詩的用典都一致稱美。此外，清朝的袁子才也說：「自三百篇至今日，凡詩之傳者，都是性靈，不關堆垛。惟李義山詩稍多典故，然皆用才情驅使，不專砌塡也。」㊂平情而論，義山詩好用典故，這是不爭的事實，其中也有刻意逞博，堆砌過甚，爲昔賢所疵，如前舉之《人日即事》詩，起聯分用《周易·復卦·卦辭》及《列仙傳》王子晉登仙事，只爲七日取義，顯得語工而意不及：頷聯分用《尙書·大禹謨》及《毛詩·豳風·七月》之辭，以七旬、七月襯出七日，尤屬拙劣，至於頸聯及結聯分用《荆楚歲時記》及薛道衡《人日思歸》詩，亦但勉強拼揍，略無詩意。通首讀之，只覺辭餘於意，拘攣補衲，同於書抄，凡如此類，昔賢譏之爲「編事」，不是作詩，這種批評並不算過份。又如義山《牡丹》詩起聯云：『錦幃初卷衛夫人，繡被猶堆越鄂君。』首句言牡丹初放，其雍容美艷有如衛夫人，用《典略》孔子見南子事；次句言牡丹花瓣重疊，如繡被之堆覆，用《說苑》鄂君子晳泛舟事。而「越鄂君」三字殊爲不詞，因鄂君子晳泛舟新波之中，由越女操揖，越女心悅鄂君子晳，作歌表明心意，鄂君子晳「乃揄修袂行而擁之，舉繡被而覆之」。故事如此，是「越女」與「鄂君子晳」本是兩人，詩人爲牽就對偶，竟取「越」與「鄂君」二字連綴成語，以副儷首句之「衛夫人」，其實「越鄂君」一詞是不通的。像這樣爲了貪用典故而致造成詩句的扞格，委實不足爲訓。這些都是義山用典欠妥，遭到前賢批評的例子。但是，這種例子畢竟是少數，一般而言，義山的用典都極爲精切，都能作到意思不直說而藉古事點明，使人感到曲折深穩。茲詳考義山詩用典的一般習慣，分三點縷陳於下，以說明義山詩用典的特色。

二、多使仙典

如同世界其他民族一樣，中華民族也擁有許多美麗的神話傳說，這些神話除大量保存在《楚辭》、《山海經》及《穆天子傳》外，其餘的散見於子、史及其他雜書，成爲我國文學的重要源泉之一。然而從來詩家用典，卻以史書、子書及經書爲主。神仙故事是稗官雜說，一般不大援用。杜詩局面開闊，用典無所不可，剪裁神仙故事入詩的例子是有的，所佔的比例卻也不大。比較起來，李義山在詩中引用神仙故事的份量，實在大大地超過了前人，我們一打開他的詩集，隨處可以邂逅這一類的例子。其中有通篇借神仙故事，以興寄人事的，如《曼倩辭》：

十八年來墮世間，瑤池歸夢碧桃閒。
如何漢殿穿針夜，又向窗中覷阿環。

據《東方朔別傳》傳：東方朔本是天上歲星所化，在漢廷共十八年，故此詩首句云云。次句承上言天上瑤池，碧桃仙境是凡人想望之地，況本在仙籍，暫墮紅塵，宜當日夜夢歸；轉結二句又合用《博物志》及《漢武內傳》之故事，言墮凡既久，歸夢已拚無望，如何漢殿窗下，又得一覷阿環！阿環雖得偶窺，然而可望而不可即，徒惹惆悵。就全詩看來，透露一種內心熱望長久被壓抑的悵恨之情，馮浩以爲此詩是「以仙境比清資，而嘆久遭淪謫。」㊃雖然未必符合人原來的作意，但此詩必有興寄，不是徒詠神仙，當是可以斷言的。又如「海客」：

海客乘槎上紫氛，星娥罷織一相聞。
只應不憚牽牛妒，聊用支機石贈君。

據《荊楚歲時記》載：漢武帝時，遣張騫出使大夏，尋求河源，騫乘浮槎上溯，經一月而至銀河，見到牛郎和織女，織女並贈送張騫一塊支機石，讓他帶回人間。詩人採取這個神話，敷衍成詩，以海客比鄭亞，以星娥自比，支機石喻自己之才華，以牽牛比令狐綯㊄。詩作於唐宣帝大中元年，時義山在桂管防禦觀察使鄭亞幕掌書記，鄭屬於李黨，與令狐綯不同調，而義山與令狐家淵源至深，憂慮令狐綯之不滿，假借神話故事以寄衷情，既不傷直，又曲折盡意。又如義山另一首七絕《寄遠》：

恆娥擣藥無時已，玉女投壺未肯休。
何日滄桑俱變了，不教伊水向東流。

此詩合用嫦娥擣藥、玉女投壺及滄桑代變三則變話，藉以體現內心某種熱切的希冀，馮浩認為「淺言之則為艷情，深言之則為令狐而作。」㊅並說：「首句喻我之誠求。次句喻彼之冷笑，三四則『欲就麻姑買滄海』之意也。二說中以寓令狐較警。」張孟劬也認為此詩是為令狐而作㊆。我們姑不論二說之短長，只要看詩題「寄遠」兩字，便知此詩決是有所寓寄之作了。義山集中像這一類藉神仙故事以興寄人事的例子委實不少，不遑一一舉出。

義山詩使用神仙故事另有一種情況，即全詩只一句或兩句使用神仙故事，其餘或者採用直敘之筆，或者穿插他類的典故。像這類的詩更多，幾乎是俯拾即是，隨手揭舉數則如下：

劉郎已恨蓬山遠，更隔蓬山一萬重。（《無題》）
空記大羅天上事，衆仙同日詠霓裳。（《留贈畏之三首》）
蓬山此去無多路，青鳥殷勤爲探看。（《無題》）
閬苑有書多附鶴，女床無樹不棲鸞。（《碧城》）
不逢蕭史休回顧，莫見洪崖又拍肩。（《碧城》）
不須浪作緱山意，湘瑟秦簫自有情。（《銀河吹笙》）
玉桃偷得憐方朔，金屋修成貯阿嬌。（《茂陵》）
昨日紫姑神去也，今朝青鳥使來賒。（《昨日》）
青女素娥俱耐冷，月中霜裡鬥嬋娟。（《霜月》）
可羨瑤池碧桃樹，碧桃紅頰一千年。（《石榴》）
豈知一夜秦樓客，看盡吳王苑內花。（《無題》）
兔寒蟾冷桂花白，此夜嫦娥應斷腸。（《月夕》）
水仙欲上鯉魚去，一夜芙蓉紅淚多。（《板橋曉別》）
腸斷秦臺吹管客，日西春盡到來遲。（《相思》）
直遣麻姑與搔背，可能留命到桑田。（《海上》）
義和自趁虞泉宿，不放斜陽更向東。（《樂遊原》）

欲就麻姑買滄海，一杯春露冷如冰。（〈謁山〉）

八駿日行三萬里，穆王何事不重來。（〈瑤池〉）

嫦娥應悔偷靈藥，碧海青天夜夜心。（〈嫦娥〉）

這其中有西王母的神話，有東方朔的神話，有麻姑的神話，有嫦娥奔月的神話，有劉阮入道的神話，有蕭史登仙的神話，有湘妃鼓瑟的神話，都被義山編織入詩，加以鎔鑄變化，以盡其比興的職責，使人感覺宛轉含蓄，沉思移情。李義山的詩表面上呈露了如是濃厚的神仙色彩，有人以爲是厭棄世間、嚮往美好世界的意識表現，這話頗言之成理，因爲所有神話故事的形成，對於人類世界之缺憾的求超越，該是重要的因素之一。喜歡叙述神話故事的人，不自覺的也透露了一點他的潛在意識。但李義山詩的多用仙典。恐怕是屬於另外一種情況，因爲他是把它當作一種比興的手法來運用，並不是眞正意味著對於神仙世界的追求。他有幾首詩，正面地表示了他對於神仙傳說的看法，如〈瑤池〉：「瑤池阿母綺窗開，黃竹歌聲動地哀。八駿日行三萬里，穆王何事不重來？」此詩斥諷了周穆王求仙的迷妄。又如〈賈生〉：「宣室求賢訪逐臣，賈生才調更無倫，可憐夜半虛前席，不問蒼生問鬼神。」此詩也明白表示了對漢文帝問鬼神而不問蒼生的譏諷。由此可見，義山對於神仙傳說是採取否定的態度。既然他不信神仙的傳說，爲什麼在他的詩中一再運用了神仙的典故呢？這有兩個原因可說：

一、李義山的感情生活相當複雜，他與當時的宮娥、女冠有過感情的糾纏，而宮娥及女冠又是身份特殊，不能公開與男子談戀愛的。在這種情況之下，義山當然也得僞裝他的情感，隱秘他的行跡，但是內心熱切的希冀與失望的苦悶又是如此壓迫著他，不吐不快，只好假藉神話，故作迷離惝恍之辭，以寄託心事，於是「偷桃」、「竊藥」等神話成爲詩人最常用的典故，他如此不憚煩地重覆敘說這些神話，一定有他的深意吧！從另一方面說，李義山的政治生涯是極爲不得意的，當時正是唐朝牛、李黨爭最激烈的時候，義山依違於兩派之間，內心極爲痛苦，因義山早年受到令狐家的提攜，受恩兩世，淵源甚厚；及後婚於王茂元之女，遊於鄭亞幕府，遂爲令狐綯所怨。其後令狐綯爲相十年，威權顯赫，竟對義山不加汲引，任義山流轉落魄。雖義山屢有陳情，並不能動令狐之聽，故義山深怨沉憂，無以自解，往往藉神仙故事自明心跡。如其怨令狐綯之冷淡，則有詩云：「欲就麻姑買滄海，一杯春露冷如冰。」（《謁山》）希望令狐綯之援引，則有詩云：「聞道神仙有才子，赤簫吹罷好相攜。」（《玉山》）又云：「人間桑海朝朝變，莫遣佳期更後期。」（《一片》）其自慨心跡不明，則有詩云：「不辭鶗鴂妒年芳，但惜流塵暗燭房。昨夜西池涼露滿，桂花吹斷月中香。」（《昨夜》）（以上悉本馮浩之說）等到屢次陳情，皆不獲省，瀕於絕望，而仍戀戀不捨。近人繆鉞說：「李義山之於令狐綯，與屈原之於楚王，情事雖殊，所感相似，故義山詩之沉憂往復，幽憶怨斷，亦極近離騷也。」㈥此語極是通論。義山詩近似離騷，不僅在於內涵，即其作詩的方法，亦多取自離騷。屈原借香草美人及神話故事，以發抒其悃悃忠愛之意，纏綿悱惻，千歲之下讀之，仍然大受感動。義山專門學他這種象徵的手法，盡量的運用比和興，盡量的運用暗喻微辭，曲曲折折地反映出自己的感情。因爲感情太深微了，他便用了鮮明穠郁的詞句來映襯它；因爲事情太難以明白說出了，他便揀些美麗動人的故事或神話來烘托它，形成了義山詩「沈博絕麗」(九)的風格。賀裳《載酒園詩話》說：「魏、晉以降，多工賦體，義山猶存比興。」而馮浩也說：「義山身世之感，多託仙情艷語出之。不悟此旨，不可讀斯集也。」(一〇)這些都是有見之言。

二、在李義山的時候正是傳奇小說盛行之際，這些傳奇小說的內容，除了戀愛與劍俠外，尤以神怪爲大宗，如張文成的《遊仙窟》，自叙奉使河源，道中夜入一大宅，遇二女，一叫十娘，一叫五娘，對文成招待甚周，情意繾綣，留宿而去。又如李朝威的《柳毅傳》，寫柳生下第還鄉，經過江濱，遇一婦人在道旁牧羊，極美麗，自言爲洞庭龍君少女，受夫家虐待，請求柳生代爲傳書洞庭，柳生於是進入龍宮，代爲傳書，使女得安返。龍君感念其德，想把女兒嫁給柳生，柳生雖心愛女，以義不可而拒絕。後柳生回返人間，連喪妻，最後娶金陵盧氏，實即龍女，遂共成仙而去。唐代傳奇中，像這一類的神怪小說，擅於描寫縹緲的仙境和惝恍的夢境，文辭瑰麗，神話色極爲濃厚，而且往往與戀愛及劍俠錯綜混雜，不易畫分。這種傳奇小說，由於「溫卷」的關係，成爲部份文人的進身之階，無形中影響了詩歌的內涵和形式，如晚唐詩人司空圖取材於中唐的傳奇小說《馮燕傳》(一一)，而寫成《馮燕歌》，便是一例。而義山詩的濃厚神話色彩，與當時盛行的傳奇小說，必有相當的關連，也應該是可以斷言的。別人以散文筆調鋪叙神話故事，李義山則把神話傳說寫成一往情深的詩歌，在詩歌史上放一異采。

綜合上述兩點看來，則李義山詩的多用仙典，可以說事出有因，不是偶然的。

三、故事反用

清朝袁子才說：「詩貴翻案。」㊂此語良是，其中尤以用典或詠史詩爲然，因爲一段故實，如就正面說之，不過概括史傳之意，或就史傳之意略加演繹，基本上仍未能擺脫史傳的樊籬。如此用之，雖亦能達到「借古以喻今」的效果，畢竟不能出奇制勝，言前人之所未言。所以歷代詩家，總喜歡藉史事作翻案文章，而將詩境拓開一層，翻跌出新意。如王介甫《明妃曲》傳誦千古，一方面固然由於此詩人我合寫，寫王昭君的失意，即寫詩人自己的失意，所謂借他人酒杯，澆自己塊壘；另一方面也由於此詩翻案舊事，立意新奇，道昔人之所未道。因「昭君和番」這個哀感頑艷的故事，傳播至廣，前代詩人詠之已多，大抵同情王昭君的遭遇，對於畫工的索賄不成，故意醜化王昭君的畫像一事，極爲痛恨，把漢元帝的殺畫工引爲快事㊂。而王介甫則云：「意態由來畫不成，當時枉殺毛延壽。」盡掃前人陳見，故意替畫工開脫，使人讀之，不覺心神一振。

除了詠史詩外，詩家用典亦有反用其意者，宋朝嚴有翼說：「文人用故事，有直用其意者，有反其意而用之者。李義山詩『可憐夜半虛前席，不問蒼生問鬼神』雖說賈誼，反其意而用之矣；林和靖詩：『茂陵他日求遺稿，猶喜曾無封禪書。』雖說相如，亦反其意而用之矣。直用其事，人皆能之，反其意而用之者，非學業高人，超越尋常拘攣之見，不規規然蹈襲前人陳跡者，何以臻此！」㊃賈誼是漢初的政治家，受到大臣的排擠，放逐在外，有一回，漢文帝想到他的才能，召他回來，在宣室接待他，問他鬼神之事，一直談話到半夜，文帝爲之前席。要是直接引用這個故事，就是從正面說；李義山卻從這件事發感慨，感嘆漢文帝不向賈誼問百姓之事，卻問鬼神之事，感嘆漢文帝明知賈誼的才能卻不能用他，這就是反用故事。司馬相如退職家居，臨死前還寫《封禪書》，來迎合漢武帝好大喜功的心理，林和靖說要是皇帝他日求遺稿，他自喜沒有《封禪書》，說明他不想討好皇帝，表示他的高潔的品格，這也是反用故事。反用故事，是李義山最慣用的手法，除了上舉賈生以外，其他的例子如《瑤池》(已見前引)，此詩係諷刺周穆王求仙的迷妄，穆王是周昭王之子；據《穆天子傳》：「天子賓於西王母，觴西王母於瑤池之上。」相傳穆王有八匹駿馬，能日行萬里，此詩後兩句說穆王既有八駿馬能行萬里，何以不能重到西王母處呢？因爲他已經死了。這也是反用改事。又如衆所熟知的《嫦娥》：

雲母屏風燭影深，長河漸落曉星沉。
嫦娥應悔偷靈藥，碧海青天夜夜心。

此詩前二句寫永夜不眠，悵望無聊，是其身之寂寞；後二句藉嫦娥奔月的故事，喻寫其心之寂寞。全篇以「悔」字爲眼目，當是詩人有所悔恨之作，張孟劬以爲「《嫦娥》比一婚王氏，結怨於人，空使我一生懸望，好合無期。」㊄細照義山的一生遭遇，此說也許不爲無見。因義山婚於王茂元之女，而爲令狐綯所怨，此即義山終生邅迍不偶的關鍵。雖然義山與王夫人伉儷感情甚篤，固非輕薄之人，但是半生淪落，中夜沉吟，往事前塵一一在心頭掠過，也許有時候不免要發出後悔的嘆息吧！能成神仙本是人人企羨之事，此詩卻就「嫦娥奔月」的神話反用之，而碧海青天，闃其無人，果然高處不勝寒，「能喻」與「所喻」綰合無間，渾然不復彼此之分，用典而達這種境界，可謂入於化境了。又如《辛未七夕》：

恐是仙家好別離，故教迢遞作佳期。

由來碧落銀河畔，可要金風玉露時。

清漏漸移相望久，微雲未接過來遲。

豈能無意酬烏鵲，惟與蜘蛛乞巧絲。

此詩以氣勢取勝，用意甚高，制格極密，起聯作疑詞，頷聯申言致疑的原因，腹聯與首句「好」字次句「故」字相應，結聯言佳會果難，則當酬烏鵲搭橋之勞，今只許蜘蛛爲巧，是知佳期之稀本緣天意，仍與首聯之意遙相呼應。通篇就七夕本事而發爲議論，亦屬於藉神話故事「巧轉」以申其「本意」之一例㉖，惟其本意爲何，頗難推明，因歲月綿邈，沒有其他文獻可資參證。張孟劬說：「此篇蓋初補太學博士喜令狐意漸轉圜而作。首二句反言之，實則深喜之。『清漏』句言子直舊好將合，『豈能』二句，則言博士一除，豈可不感激子直而無如所得僅此，豈非仙家故教迢遞，以作將來之佳期哉！用意極爲深曲。」㉗汪方湖以爲得詩人之旨㉘，姑且錄寫在此，以資參考。據《荊楚歲時記》的記載，織女本是天帝之女，居於天河東邊，辛勤地爲天帝織成雲錦天衣，及後天帝把她嫁給河西牛郎，沒想到嫁後織女竟荒廢了紡織的工作，天帝十分生氣，命令她仍住回河東，只許一年一度相會。

如此說來，織女與牛郎的隔河相望，不得常聚，本出於被迫，在兩人說來，這該是極爲傷心痛苦之事，所以古詩說：「迢迢牽牛星，皎皎河漢女。纖纖擢素手，札札弄機杼。終日不成章，泣涕零如雨。河漢清且淺，相去復幾許，盈盈一水間，脈脈不得語。」㊴而義山卻說牽牛織女所以一年只在七夕聚首一次，恐怕是由於神仙喜歡離別的緣故，這也是就相傳的神話傳說加以翻案，議論出奇。義山詩中像這一類反用故事的例子還有許多，茲再舉出數則如下，以供參考：

三百年間同曉夢，鍾山何處有龍盤？（〈詠史〉）
空歸腐敗猶難復，更困腥臊豈易招。（〈楚宮〉）
洞庭湖闊蛟龍惡，卻羨楊朱泣路歧。（〈荆門西下〉）
自是當時天帝醉，不關秦地有山河。（〈咸陽〉）
荆王枕上原無夢，莫枉陽臺一片雲。（〈代元城吳令暗爲答〉）
金徽卻是無情物，不許文君憶故夫。（〈寄蜀客〉）
相如未是眞消渴，猶放沱江過錦城。（〈病中早訪招國李十將軍遇挈家遊曲江二首〉）
卻羨卞和雙刖足，一生無復沒階趨。（〈任宏農尉獻州刺史乞假還京〉）
蕭何只解追韓信，豈得虛當第一功。（〈四皓廟〉）
石小虛塡海，蘆銛未破矰。（〈北禽〉）

四、虛作襯筆

詩家用典，除了可以「舉事以類義，援古以證今」以外，另有一種作用，即藉典故虛作襯筆，故作渲染，而使詩意增厚。如杜甫有詩云：「范蠡舟偏小，王喬鶴不群。」㉛並不是眞說范蠡的舟與王喬的鶴，而是因爲單說舟與鶴，顯得太單薄，不夠華美，所以借范蠡與王喬來作裝點，使色澤加深。李義山詩以「好積故實」著稱，但義山詩中所用的典故，屬於這一類「華而不實」的正復不少。錢默存說：「在李商隱，尤其在西崑體的詩裡，意思往往似有若無，欲吐又呑，不可捉摸；他們用的典故辭藻，也常常只爲了製造些氣氛，牽引些情調，彷彿餐廳吃飯時的音樂，所以會給人一種『華而不實』、『文浮於意』的印象。」㉜這話說得不錯，即如義山最有名的詩《錦瑟》：

錦瑟無端五十絃，一絃一柱思華年。
莊生曉夢迷蝴蝶，望帝春心託杜鵑。
滄海月明珠有激，藍田日暖玉生煙。
此情可待成追憶，只是當時已惘然。

此詩是義山晚年回憶平生的作品㉝。首句借錦瑟發端，傳世之瑟雖只二十五絃，但據傳說：『秦帝使素女鼓五十絃，悲，帝禁不止，故破其瑟爲二十五絃。』㉞是遠古的瑟本爲五十絃，義山作此詩時是四十多歲，舉大數而言也爲五十，與古瑟五十絃的傳說適相符合，瑟琴等樂器可以宣洩鬱悶，可以託寄高情，本是從前讀書人常備之物，義山也許看到書房中陳設的琴瑟，結合古代的神話傳說，勾起了對自己逝去的年華的回想，多少希望，多少幻滅，多少情愛，多少割捨，如今皆如逝水，空贏得半生淪落，不禁『悲』來無端，不可抑止，此即所謂「一絃一柱思華年」。「一絃一柱」當係借指過去生命中所發生過的許多繁瑣的事件，不必泥說。三句是說：前塵往事，如今思之，恰如一場曉夢，飄忽而短暫，「浮生」本來「若夢」，其實也不必爲過去悲傷。「曉夢」是此句的主意所在，如只說「曉夢」固然不能成爲一個詩句，而且意思也嫌單薄，於是藉莊生夢爲蝴蝶的典故以烘托之，一方面增加氣氛，一方面也找來古代哲人作爲見證，藉以寬慰自己的內心。四句是想要遣此悲懷而有所不能，因爲把一生中的許多悲歡離合，統以夢境遣之，在曠達之士固然容易，奈自己多情之人，實不能如莊生之不滯於哀樂。此句以「春心」爲主意所在，「春心」即有情之心。然只說「春心」固不成詩句，也覺色澤不夠，於是藉望帝化爲杜宇的神話以渲染之。望帝爲情所困，又不願破壞世俗的禮教，於是逃去化爲杜宇，雖然化爲杜宇，而有情之心固在，是以淸夜哀鳴，至於啼血。這本是一個纏綿哀怨的故事，使人棖觸無端。藉此故事作爲襯筆，不但增加詩境的深度，而且富於暗示力，因望帝的「春心」，即義山的「春心」，義山有《無題》詩云：「春心莫共花爭發，一寸相思一寸灰。」又云：「春蠶至死絲方盡，蠟炬成灰淚始乾。」此皆是詩人的自道之辭，都可拿來作此句的注腳。第五句是說自己不能無情，回想到歷歷往事，不免憂傷悼痛，至於潺湲流涕，不能自已。「淚」是此句的主意所在，也借鮫人泣珠的故事來豐富詩的意象。六句又作最大的掙扎，竭力想走出悲愁的幽谷。往事如煙，儘管在當時多麼震撼自己的心靈，影響自己的一生，以今觀之，畢竟皆已隔得很遠，有如煙霧。則低徊涕泣，亦何所補益，不如且開懷抱，當境自樂。「煙」字是此句主意之所在，又藉藍田日暖。良玉生煙的故事作爲背景，以渲染其氣氛，增加其華美，引起讀者更豐富的聯想。七句承三句及六句而來，是個反詰的語氣，意思是說往事既已如煙，還值得去追憶嗎！蓋往事種種，都如逝水，一去不返，兼且浮生若夢，古人固已勘破，殊不必多作追想回顧，空惹啼痕。結句是說自己當時卻迷黯不能自拔。「惘然」當作「迷黯」解，非悵惘之意。其實，芸芸衆生，孰能無情，像李義山這樣靈心善感的詩人，想要不滯哀樂而超然於情海之外，更屬不可能之事。結合此詩的四五兩句觀之，義山不僅於事情發生的當時「惘然」不能自拔，即在義山晚年作此詩之時，是否眞已達到超曠不繫於情的境界，也殊可懷疑。此詩首聯因「錦瑟」而起興，而次句的「思華年」三字即全篇之骨幹。頷聯及腹聯則承「思華年」而發展，其中三句與六句相承，四句與五句相承，開合動盪，乍陰乍陽。末聯總收全詩，而七句與三六兩句、八句與四五兩句，又有不即不離的關係。此外，次句「華年」的「華」字與首句「錦瑟」的「錦」字相應，八句「惘然」兩字與三句「迷」字相應。全詩章法綿密，把詩人矛盾掙扎的內心痛苦表露無遺，而頷、腹二聯所用的典故，都是虛作襯筆，以渲染詩境，興象極爲深遠。不知詩人此種用典的手法，專就典故本身求解，往往走入迷宮，前人種種穿鑿附會的解釋，都由此而產生。義山其他像這一類用典的詩不少，茲再舉二例如下，如《無題》：

颯颯東風細雨來，芙蓉塘外有輕雷。

金蟾齧鎖燒香入，玉虎牽絲汲井迴。
賈氏窺簾韓掾少，宓妃留枕魏王才。
春心莫共花爭發，一寸相思一寸灰。

此詩開端，用東風細雨興起輕雷，而所謂輕雷又非眞雷，乃是比擬車聲。古詩：「雷隱隱，感妾心，側耳傾聽非車音。」義山此詩第二句略用其意，義山另有《無題》詩云：「車走雷聲語未通」可與比互參。三、四句承第二句而補足其意，言所憶之人自外歸來，所以芙蓉塘外有車聲隱隱然如輕雷。此三、四句係分別以「入」字與「迴」字爲主意所在，嫌其單薄，則分用齧鎖燒香及牽絲汲井二事以烘托之，加深華麗色澤。又如《一片》：

一片非煙隔九枝，蓬巒仙仗儼雲旗。
天泉水暖龍吟細，露畹春多鳳舞遲。
榆莢散來星斗轉，桂花尋去月輪移。
人間桑海朝朝變，莫遣佳期更後期。

此詩馮浩以爲是義山寄望令狐綯援引而作之詩㊹，大致可信。詩中五、六句言鵠候之久，由於星轉月移，所以結聯接云：「人間桑海朝朝變，莫遣佳期更後期」，人世的變化太大了，不要把佳期一直往後拖延。五、六句的主意所在，分別是「星斗轉」與「月輪移」，嫌其單薄，則分用「天上白榆」與「月中丹桂」的故事妝點之，以加深其華麗色澤。

如上所說，義山喜歡借用典故作襯筆，以烘托氣氛，增益詩的華美，使他的詩更加縟麗。但世事往往有得即有失，義山這種用典的手法，常爲他的詩造成一種煙幕，增加後人瞭解他的困難，此所以元遺山要說：「望帝春心託杜鵑，佳人錦瑟怨華年，詩家總愛西崑好，獨恨無人作鄭箋。」㉟

五、結語

李義山在唐代詩人中是大家，他又以多用典故出名，他的用典，具備多樣的面貌，委實不易一下子歸納解說清楚。以上三端不過就其犖犖大者略予析論，其他未及之義必然很多，如義山用典，喜歡借虛字形成對比，如《九日》詩：「不學漢臣栽苜蓿，空教楚客詠江蘺」，前句用漢武帝的故事，諷令狐綯不承父志，後句用屈原的故事，是詩人之自嗟，兩個典故借虛字「不學」、「空教」爲轉捩，而因果顯然，造成脈脈相關之勢；另有一種用典，是演繹原典資料，用集錦方式，汲取原典中散見的辭藻，加以提煉，鎔成新句，如《哭劉蕡》：「平生風義兼師友，不敢同君哭寢門。」這是用《禮記·檀弓》孔子哭伯高的故事，詩人就原典中輕輕拈出「師」、「友」及「寢門」三事，將之鎔爲一爐，鑄成新句，這就更有力地襯出，生平則友，風義則師，充分地表露出詩人對劉蕡敬愛之摯及哀悼之深；又如義山於史書中很少用到正面人物的典故，他援引最多的恐怕是南朝及隋朝失國之君的故事，尤其他的詠史詩，以上述題材爲對象的佔極大比例。大約詩人對於朝廷政治上的混亂失紀極爲感慨，當時距離唐朝滅亡不遠，亡國的徵象已顯，詩人敏感的心靈必定已經深深感覺到這一點，因此發為世紀末的哀音，所謂「夕陽無限好，只是近黃昏。」（《登樂遊原》）正是他這種心態的展示。而他的喜歡用亡國君臣之典，也向我們透露了這個消息。以上諸義，都是本文未及詳細討論的，振其餘緒，姑且期諸異日。

【附　註】

㈠見劉勰《文心雕龍、事類篇》。
㈡見鍾嶸《詩品》。
㈢參閱徐復觀《中國文學論集》頁一二六至頁一三二。
㈣見所著《益仁智室論詩隨筆》第四章《辭采》。
㈤見所著《藝圃擷餘》。
㈥王世懋《藝圃擷餘》書中語。
㈦見所著《䂬溪詩話》卷十。
㈧見《蔡寬夫詩話》。
㈨見所著《對床詩話》卷十。
㈩此說始起楊文公《談苑》，然彼似專指其文而說；其後胡孝轅《唐音癸籤》則移以論其 詩。
(十一)見所著《彥周詩話》，藝文版《歷代詩話》頁二二〇。

⑫見所著《歲寒堂詩話》卷上。

⑬見所著《隨園詩話》卷五。

⑭見《玉谿生詩箋注》卷六。

⑮此用馮浩說，見《玉谿生詩箋注》卷三。

⑯見《玉谿生詩箋注》卷六。

⑰見所著《李義山詩辨正》。

⑱見所撰《論李義山詩》，收《詩詞散論》一書中。

⑲朱長孺語，見《箋註李義山詩集序》。

⑳見《玉谿生詩箋注》卷一。

㉑收李昉《太平廣記》卷一九五。

㉒見《隨園詩話》卷二。

㉓如《古今詩話》載隋宮候夫人自感云：「毛君眞可戮，不肯寫昭君。」又宋之問有詩云：「薄命由驕虜，無情是畫師。」

㉔見魏慶之《詩人玉屑》卷七引。

㉕見《李義山詩辨正》。

㉖李義山《流鶯》詩云：「巧囀豈能無本意。」此當是義山的自道之辭。

㉗見《李義山詩辨正》。

㉘見所著《玉谿詩箋舉例》。

㉙見古詩十九首。

㉚見《觀李固請司馬弟山水圖三首》中的第二首。

㉛見《宋詩選註》頁一〇九。

㉜馮浩以爲作於大中七年，時義山四十一歲；張孟劬以爲作於大中十二年，時義山四十七歲。案義山之生年，馮浩考爲元和八年，張孟劬考爲元和七年，相差一年，岑仲勉《玉谿生詩年譜會箋平質》以馮浩爲是，則大中十二年，義山當爲四十六歲。

㉝見《漢書郊祀志》。

㉞見《玉谿生詩箋注》卷三。

㉟見其《論詩絕句》第十二首。

參考書目

壹、專著

《李義山詩集輯評》　朱鶴齡箋注、沈厚塽輯評　學生書局

《李義山詩集箋注》　姚培謙箋注　中文出版社

《李義山詩集箋注》　程夢星箋注　廣文書局
《玉谿生詩集箋注》　馮浩箋注　里仁書局
《玉谿生詩意》　屈復　正大印書館
《西崑發微》　吳喬　借月山房彙鈔本　藝文印書館
《李義山詩解》　陸崑曾　學海出版社
《玉谿生詩說》　紀昀　藝文印書館
《李義山詩偶評》　黃侃　學海出版社
《李義山詩辨正》　張爾田《玉谿生年譜會箋》附錄　中華書局
《李商隱評論》　顧翊群　中華詩苑
《李商隱和他的詩》　朱偰等　學生書局
《玉谿詩謎》　蘇雪林　商務印書館
《李義山詩析論》　張淑香　藝文印書館
《李商隱研究》　吳調公　上海古籍出版社
《李商隱詩論稿》　藍于　中華書局
《李商隱詩研究》　黃盛雄　文史哲出版社
《李商隱詩箋辭方法論》　顏崑陽　學生書局

《李商隱詩集箋注》　葉蔥奇　里仁書局
《李商隱詩歌集解》　劉學鍇、余恕誠　中華書局
《李商隱評傳》　楊柳　木鐸出版社
《樊南文集》　馮浩詳注　上海古籍出版社
《樊南文集補論》　錢振倫、錢振常箋注　上海古籍出版社
《玉谿生年譜會箋》　張爾田　中華書局
《玉谿生年譜會箋質疑》　岑仲勉　《玉谿生年譜會箋》附錄　中華書局
《舊唐書》　劉昫等　鼎文書局
《新唐書》　歐陽修等　鼎文書局
《資治通鑑》　司馬光　世界書局
《通鑑隋唐紀比事質疑》　岑仲勉　九思出版社
《唐會要》　王溥　世界書局
《唐六典》　《四庫全書》本　商務印書館
《文獻通考》　馬端臨　新興書局
《登科記考》　徐松　中華書局
《讀史方輿紀要》　顧祖禹　樂天書局

《唐人行第錄》　岑仲勉　九思出版社
《唐史餘瀋》　岑仲勉　弘文館出版社
《唐集質疑》　岑仲勉　《唐人行第錄》附錄　九思出版社
《唐僕尙丞郎表》　嚴耕望　中研院史語所
《唐摭言》　王定保　世界書局
《唐語林》　王讜　世界書局
《唐國史補》　李肇　世界書局
《雲溪友議》　范攄　世界書局
《酉陽雜俎》　段成式　源流出版社
《春明退朝錄》　宋敏求　《百川學海》本　藝文印書館
《夢溪筆談》　沈括　世界書局
《長安志》　宋敏求　《經訓堂叢書》本　藝文印書館
《太平廣記》　李昉　新興書局
《毛詩正義》　孔穎達　藝文印書館
《楚辭集注》　朱熹　藝文印書館
《全唐詩》　清聖祖敕定　文史哲出版社

《唐詩紀事》　計有功　中華書局
《全唐文》　董誥等奉敕編　文友書局
《唐才子傳》　辛文房　文津出版社
《苕溪漁隱叢話》　胡仔　長安出版社
《詩人玉屑》　魏慶之　九思出版社
《唐音癸籤》　胡震亨　木鐸出版社
《歷代詩話》　鍾嶸等　藝文印書館
《續歷代詩話》　孟棨等　藝文印書館
《清詩話》　王夫之等　明倫出版社
《清詩話續編》　毛先舒等　上海古籍出版社
《百種詩話類編》　臺師靜農主編　藝文印書館
《石遺室詩話》　陳衍　商務印書館
《詩言志辨》　朱自清　開明書店
《談藝錄》　錢鍾書　學海出版社
《寥音閣詩話》　俞大綱　《俞大綱全集》本　幼獅文化事業有限公司

貳、單篇論文

《李義山政治詩摘箋》　高越天　〈中國詩季刊〉五卷二期

《李商隱的詠史詩》　方瑜　〈中外文學〉五卷一、二期

《論「象外象、景外景」兼談晚唐二李詩》　陳曉薔　〈現代學苑〉一卷二期

《李商隱詩中的視覺意象》　姚一葦　〈中華文化復興月刊〉四卷五期

《李商隱詩的境界》　劉若愚著、方瑜譯　〈幼獅〉三十七卷一期

《比較與翻案——論義山七律末聯的深一層法》　陳文華　〈中國文化復興月刊〉十一卷二期

《從美感經驗說試探義山詩》　歐陽炯　〈大陸雜誌〉六十六卷二期

《李義山「錦瑟」詩考證》　心史　〈東方雜誌〉二十三卷一期

《「錦瑟」詩箋》　陳定山　〈暢流半月刊〉三卷十期

《從義山「嫦娥」詩談起》　葉嘉瑩　〈大陸雜誌〉三卷四期

〈論李義山詩〉　繆鉞　《詩詞散論》所收　開明書店

〈李商穩詩之淵源及其發展〉　勞榦　《幼獅學報》一卷二期

〈李商隱詩探微〉　孫甄陶　《新亞學報》四卷二期

〈李商隱之詩及其風節〉　曾克耑　《文學世界》二十五期

〈論李義山詩〉　金達凱　《民主評論》十二卷二十三期

〈李商隱詩評析〉　劉若愚　《清華學報》七卷二期
〈義山詩的傷時與自傷〉　孫克寬　《東方雜誌》三卷九期
〈試論義山詩〉　呂興昌　《中國古典文學研究叢刊》詩歌之部(二)
〈李義山其人其詩〉　宜珊　《今日中國》十七期
〈李商隱「燕台」詩評述〉　勞榦　《文學雜誌》一卷一期
〈從「落花詩」談李商隱凄迷的身世〉　汪師雨盦　《華文世界》六期
〈談玉谿生「安定城樓」詩〉　汪師雨盦　《木鐸》五卷六期

陸、論李義山之詠物詩

一

詩歌之作，主要爲發攄情意，反映生活，《詩大序》云：

詩者，志之所之也。在心爲志，發言爲詩。情動於中而形於言，言之不足故嗟嘆之，嗟嘆之不足故永歌之，永歌之不足，不知手之舞之足之蹈之也。㈠

此節說明詩歌之起源及詩歌與樂舞之關係，其理甚正，宜無可議。然而四時代變，節物不同，詩人之心靈亦因而搖蕩，故外在景物與詩歌創作實有密切之關係。劉彥和云：

歲有其物，物有其容，情以物遷，辭以情發。一葉且或迎意，蟲聲有足引心。況清風與明月同夜，白日與春林共朝哉！是以詩人感物，聯類不窮，流連萬象之際，沈吟視聽之區。寫物圖貌，既隨物以宛轉，屬采附聲，亦與心而徘徊。㈡

此節闡述詩人緣景生情，發爲吟歌，及闡發神思與物境交融之理，極爲確當，足補《詩大序》義之未備。況且直書胸臆，不假外物，不免單調發露，少蘊藉含蓄之致，其法有時而窮，故詩人之作，往往不乏景物描寫之文，甚至進而有通篇詠物之什，無論其爲借物興感，或借物寓意，實事勢所必然，不得不爾。此種情形，自《三百篇》、《楚辭》以下，至於漢魏以後五、七言之作，罕能例外，張戒云「建安、陶、阮以前，詩專以言志；潘、陸以後，詩專以詠物。」㊂此說固甚牽強，實未可如此截然區分也。

後世五、七言通篇詠物之作，最早當推班婕好《怨歌行》㊃。逮乎建安以後，斯體漸繁，如子建《吁嗟》之篇，寓意於轉蓬㊄；嗣宗《詠懷》之什，借喻於鳳凰㊅。而陶公《歸鳥》四言，自寫曠懷㊆，嗣響《三百篇》，亦稱高唱。沿至唐、宋之世，詠物詩尤爲發達，其時詩人集中，詠物之題隨在可指，藉物寫志，蓋已漸成風氣。然而若論詠物詩數量之多及詠物之工，則李義山允稱巨擘。

傳世之義山詩作，除去可疑者十首左右以外㊇，總數爲五百九拾餘首，而其中通篇以詠物爲主之作。數量在一百以上，比例超過六分之一。詠物詩佔全部作品如此高之比例，放眼古今詩家，實爲罕覯，允稱義山特色之一。且義山之詠物，不僅能體貼入微，曲盡物情，尤能妙有寄託，不粘不脫，遂擴大詠物詩之範圍，提升詠物詩之境界，深情遠意，往往使人亹亹不倦，堪稱詠物能手。

二

義山詠物詩之題材，涵蓋至廣，上至天文，下至鱗介，靡所不有。以「天文」而言，所詠之題材包含月（集中有《霜月》、《秋月》及《月》等作）、風（集中有《風》詩二首，一首爲五絕，一首爲五律）、雪（集中有《憶雪》、《殘雪》、《喜雪》、《對雪》、《九月於東逢雪》等作）、雲（集中有《詠雲》、《齊梁晴雲》等作）、雨（集中有《細雨成詠獻尙書河東公》、《微雨》、《春雨》、《細雨》及《雨》等作，其中以《細雨》命篇者凡有二首，其一爲五絕，其一爲五律）等；「地理」方面，所詠之題材包括山（集中有《荆山》、《玉山》等作）、石（集中有《亂石》之作）等；「人體」方面，所詠之題材包括腸（集中有《腸》詩之作）、淚（集中有《淚》詩之作）等；「器用」方面，所詠之題材包括鏡（集中《有鏡檻》、《破鏡》等作）、燈（集中有《燈》詩之作）、屛風（集中有《屛風》詩之作）、竹杖（集中有《贈宗魯筇竹杖》之作）等；「服飾」方面，所詠之題材有襪（集中有《襪》詩之作）；「飲食」方面，所詠之題材有珊瑚散（集中有《房君珊瑚散》之作）；「草木」方面，所詠之題材包括有柳（集中有《垂柳》、《巴江柳》、《柳》、《柳下暗記》、《離亭賦得折楊柳二首》、《贈柳》、《謔柳》、《關門柳》等作，以中以《柳》命篇者凡有五首，一首五律，一首七律，三首七絕）、松（集中有《題小松》、《高松》等作）、桐（集中有《蜀桐》、《景陽宮井雙桐》等作）、柏（集中有《武候廟古柏》之作）等；「花卉」方面，所詠之題材包括牡丹（集中有《牡丹》、《回中牡丹爲雨所敗二首》、《僧院牡丹》等作，其中以《牡丹》命篇者凡有二首，五律及七律各一）、紫薇（集中有《臨發崇讓宅紫薇》之作）、杏花（集中有《杏花》之作）、菊花（集中有《菊》、《和馬郎中移白菊見示》、《野菊》等作）、槿花（集中有《朱槿花二首》、《槿花》及《槿花二首》等詩）、木蘭花（集中有《木蘭》、《木蘭花》等詩）。李花

（集中《有子直晉昌李花》、《李花》等詩）、荷花（集中有《荷花》、《贈荷花》等詩）、梅花（集中有《十一月中旬至扶風界見梅花》、《酬崔八早梅有贈兼示之作》等詩）、櫻桃花（集中有《櫻桃花下》之作）、桃花（集中有《嘲桃》之作）等，另有《落花》、《和張秀才落花有感》、《高花》等題，則未指明究係何花，此其意歸重於「落」、「高」二字，故不必泥定爲何花。然循名責實，固亦當附於此類。「果品」方面，題材包括櫻桃（集中有《深樹見一顆櫻桃尚在》、《百果嘲櫻桃》、《櫻桃答》、《嘲櫻桃》等詩）、石榴（集中有《石榴》之作）等；「飛禽」方面，題材包括雞（集中有《賦得雞》之作）、鳳（集中有《鳳》詩之作）、鵝（集中有《題鵝》之作）、孔雀（集中有《和孫朴韋蟾孔雀詠》之作）、燕（集中有《越燕二首》之作）、烏鵲（集中有壬申閏秋題贈烏鵲》之作）、鴛鴦（集中有《鴛鴦》之作）、鶯（集中有《流鶯》之作）等。其他尚有《北禽》、《宿晉昌亭聞驚禽》等題，亦當附於此類。「走獸」方面，所詠之題材有魚（集中有《洞庭魚》之作）；「昆蟲」方面，所詠之題材包括蟬（集中有《蟬》詩之作）、蜂（集中有《蜂》詩之作）、蜨（集中以《蜨》命篇之詩凡有四首㊈，其中三首爲五律，一首爲五絕）等。

據以上之考查統計，知義山詠物之對象，極爲廣泛。舉凡吾人生活所接觸之範圍，無論動物、植物，不分有生、無生，義山或假物寓意，或觸物興感，輒以收入篇什。而吟詠次數最多者，前數種依次爲柳（凡十三首）、雨（凡六首）、櫻花（凡四首，若計《櫻桃花下》言之，則爲五首）、蜨（凡四首）等。此一有趣之事實，頗可玩味。竊以爲據此可以略窺義山之靈心，洞鑒騷人之秘旨。蓋楊柳之依依漢南，蛺蝶之流連花間，皆爲多情之物；細雨之飄灑微茫，白雪之紛揚舞空，並成淒美之境；而牡丹之麗質天生，木槿之朝發暮謝，以見高才難憑，浮生易脆。夫「多情」、「淒美」、「高才」等，豈不皆義山自身具備或嚮往追求之特質及境界。而「難憑」、「易脆」之感，正以覘知義山之沈憂。以上題材義山所以疊詠再三，無意洩露宗風，開示法門，讀者循是以求義山之詩境，執簡馭繁，所得多矣。

三

詠物之作，人皆知當體貼入微，曲傳物態，然此只是第一層次，不足以盡詠物詩之奧微。上乘之詠物詩，除須曲傳物態之外，尤在妙有寄託，借物言情，雖詠物而不泥滯於此物。前人所謂「不即不離」⑩者，即此意。遍覽古人詠物佳製，莫不如此。義山綺才艷骨，句律深微，尤工於詠物，其詠物詩如《贈柳》、《謔柳》、《贈荷花》、《嘲桃》、《百果嘲櫻桃》、《櫻桃答》、《嘲櫻桃》、《壬申閏秋題贈烏鵲》等作，即只從其製題觀之，已知其必有深意，非泛詠物態而已。其他詠物之篇什，除善盡物情以外，亦往往皆有託意，或借物自況，或借物喻他，或借物興感，大抵重在藉物言情，非徒以雕琢刻鏤之工爲能，其詠物詩所以卓犖千古者以此。故讀義山之詠物詩，允宜玩索詩中之託寄，庶得作者之本意。若徒賞其寫物之工，摛藻之華，則買櫝還珠之誚，恐未能免。以下爰就「借物自況」、「借物喻他」、「借物興感」三端，各舉數例稍加論釋，以見義山詠物手法之一斑。

四

義山詠物詩常見手法之一，爲借物以自況。借物以自況者，詩中所詠之物亦即義山自身，即物即我，達到物我一體之境界。義山此類作品甚多，如《流鶯》：

流鶯漂蕩復參差，度陌臨流不自持。
巧囀豈能無本意，良辰未必有佳期。
風朝露夜陰晴裡，萬戶千門開閉時。
曾苦傷春不忍聽，鳳城何處有花枝。

此詩寫作之確年無可考㊁，玩其詩意及詩格，似是晚年之作。首聯言流鶯之漂蕩，去住不能自主，刻意洗發題目《流鶯》中「流」字之義；次聯言黃鶯巧囀，當有苦心，然而雖逢良辰，卻無佳期，以見流鶯際遇之蹉跎；腹聯言黃鶯之漂蕩哀啼，不別陰晴與晨昏；結聯則致慨於鳳城之無處棲身。全詩全係借流鶯自況。義山以婚于王氏之故，爲人所怨，遂致流落不偶，坎壈終身，兩度任職秘省，皆極短暫，一生游幕時間爲多，除早年之令狐楚幕，崔兗海幕外，自開成二年（西元八三七年）登進士第以來，先後居王茂元涇原幕及陳許幕、周墀之華州幕㊂、鄭亞之桂管幕、盧弘止㊃之徐州幕、柳仲郢之梓州幕，蹤跡不可謂不廣，所謂「漂蕩」「參差」、「渡陌臨流」，不能自持也。義山雖爲令狐綯所怨，並未斷絕往來，是以義山對令狐仍屢有陳情，微意往往寄託于詠物、艷情及遊仙等篇什，「巧囀豈能無本意」，不啻爲其詩自下箋解。然而令狐終不見諒，援引之望成虛，回朝之日無期，「鳳城何處有花枝」，大有「斯人獨憔悴」㊃之怨，詞哀心苦，洵可謂字字血淚。又如《巴江柳》：

巴江可憐柳，柳色綠侵江。
好向金鑾殿，移陰入綺窗。

此詩在梓州幕所作㊄，詠巴江柳，即用以自況。前二句自慨客寓巴、蜀，後二句含希冀入朝居清職之意。案《南史·張緒傳》云：「緒吐納風流……劉悛之爲益州，獻蜀柳數株，枝條甚長，狀若絲縷……武帝以植於太和靈和殿前，嘗賞玩咨嗟，曰：『此楊柳風流可愛，似張緒當年時。』其見賞愛如此。」此詩後二句即暗用張緒典故，小詩寫得極有情味，亦義山慘澹經營之作，紀昀乃譏爲「直而淺」㊅，似不然也。

義山又有《野菊》詩云：

苦竹園南椒塢邊，微香冉冉淚涓涓。
已悲節物同寒雁，忍委芳心與暮蟬。
細路獨來當此夕，清樽相伴省他年。
紫雲新苑移花處，不取霜栽近御筵。

此詩詠野菊，黃季剛以爲「自喻其身世」㊆，其說甚是。菊花晚節，有君子之特操，題目《野菊》，即寓有君子在野之嘆。首句言野菊生長之所在，洗發題中「野」字之意，曰「苦竹」，曰「椒塢」，暗寓處境之苦辛。次句言菊花舒蕾，其香冉冉，乃寒夜露凝，有似清淚涓涓。比清才抱恨。次聯上句承「淚涓涓」，下句承「微香冉冉」，言菊逢秋始榮，無異寒雁之淒涼；然猶不忍委棄芳心，同於暮蟬之玄默。其「微香冉冉」者以此，其「淚涓涓」者亦以此。比己身之未遇于時，猶不甘於埋沒清才，寂爾無聞。腹聯就詩人身上說，言自己今夕小徑獨步，偶然與此野菊相值；回憶他年清樽相伴，及見白菊繞階之盛，令狐楚最愛白菊，楚謝世十二年後，義山有《九日》詩云：「曾共山翁把酒時，霜天白菊繞階墀。十年泉下無人問㈥，九日樽前有所思。不學漢臣栽苜蓿，空教楚客詠江蘺。郎君官貴施行馬，東閣無因得再窺。」此詩一則追念令狐楚生前之知遇，一則抱憾其子令狐綯之不肯援手。《野菊》詩所謂「清樽相伴省他年」者，所省憶之內容即此詩之「曾共山翁把酒時，霜天白菊繞階墀」也。然而曾幾何時，繞階之白菊今已成爲處身辛苦地之野菊矣。詩中「他年」與「此夕」對照，言外無限感喟。結聯借「紫雲」以指宮禁，謂令狐綯榮升新職，常處宮禁，卻不移植此野菊使近君顏，以總結前文。蓋此詩作於大中三年之秋㈨，是年二月，令狐綯拜中書舍人，五月，遷御史中丞，至九月，復充翰林學士承旨，尋權知兵部侍郎知制誥，官位已大顯。而此時義山由盩厔尉被京兆留假參軍事，奏署掾曹，令典章奏，深感自身之沈滯，故對令狐綯之不肯援手，不免有憾也。《九日》詩云：「不學漢臣栽苜蓿」，其怨正與此同，二詩可合參。

義山又有《臨發崇讓宅紫薇》詩云：

一樹濃姿獨看來，秋庭暮雨類輕埃。

不先搖落應爲有㊁，已欲離別休更開。

桃綬含情依露井，柳綿相憶隔章臺。

天涯地角同榮謝，豈要移根上苑栽。

據《述征記》，王茂元有宅在洛陽崇讓坊，此詩蓋義山將離洛中前夕對崇讓宅紫薇有感而作㊂。首聯言紫薇花在秋庭暮雨中盛開。次聯言紫薇不先搖落，應是爲我而開；今我已將離去，則可不必更開矣。腹聯言依露井之桃與隔章臺之柳，一則逢時，一則得地，以反襯紫薇之落寞無援。結聯總收前文，言居上苑之桃、柳與居天涯地角之紫薇榮謝一同，固不必以移根上苑爲幸。此詩一篇之旨，見於篇末，作者以紫薇自況之意甚明。其時義山蓋將有遠行，故有「天涯地角」之文，此際詩人浮想連翩，思路已由崇讓宅之紫薇飛馳到天涯地角之紫薇，而此紫薇即自己化身。桃綬、柳綿則比在朝得意之同年或友生，言雖彼此之處地迴殊，而榮枯不異，固不必以飄泊爲恨。勉強作自寬之語，而惘惘不甘之情見諸言外，亦義山詠物之佳篇。以上五詩，均爲借物自況之作。

五

義山詠物詩常見手法之二，爲借物喻他。此與「借物自況」有同有異，同爲二者均是將物擬人，化無情爲有情；異爲「借物自況」爲視物爲我，詩中物我一體，故此類詩往往藉以發抒個人身世之感慨；「借物喻他」則物所喻況之人爲我以外之特定對象或不特定對象，故此類詩往往中含美刺，或表同情，代發不平；或寄微諷，藉致不滿。如義山有《贈柳》詩云：

章臺從掩映，郢路更參差。
見說風流極，來當婀娜時。
橋迴行欲斷，隄遠意相隨。
忍放花如雪，青樓撲酒旗。

案章臺爲長安街道名，後常借以指技院酒樓所在，唐韓翃有《章臺柳》詩㉓；又《世說》載桓溫自江陵北征，經金城，見少爲瑯邪內史時所種柳樹皆已十圍，慨然嘆曰：「木猶如此，人何以堪！」㉔故郢城在江陵縣北。此詩首聯即用以上二則典故，點明題中之「柳」字，並暗示身分。次聯暗用張緒之典㉕，謂早聞其風流可愛，一見果是風姿婀娜。腹聯言柳騈立於橋邊隄上，依依如送人。結聯謂似此風流婀娜之柳，何忍飛花如雪，撲青樓之酒旗乎？「青樓」指酒樓，與首句「章臺」照應。此詩題曰《贈柳》，且詩中寫柳之情態及遭遇，筆鋒來帶深情，必非尋常詠物之作，馮孟亭以爲「借詠所思」㉖，其說可從。蓋此女本屬歌妓之流，義山識之於酒樓舞榭之中，故結聯有惜之之意。此詩但以詠柳言，亦是難得之佳製，尤其腹聯寫柳，遺貌取神，妙得情態，袁隨園以爲「隄遠意相隨，眞寫柳之魂魄。」㉗，是義山白描勝境。

義山又有《賦得雞》詩云：

稻粱猶足活諸雛，妒敵專場好自娛。

可要五更驚穩夢，不辭風雪為陽烏。

此詩前二句謂鬥雞有多餘稻粱足以養活諸雛，卻猶妒敵好鬥，以獨霸全場為樂；後二句言此鬥雞豈肯於五更時自穩夢中驚醒，不辭風雪為陽烏而報曉。此詩題曰《賦得雞》，詩中所寫之鬥雞顯有寄託，注家多以為譏諷藩鎮，其說不誤。案會昌三年（西元八四三年）四月，昭義節度使劉從諫卒，其侄劉稹據鎮抗命。八月，詔諸鎮進討，而諸鎮多觀望不前，詩蓋此時作㉗。馮孟亭謂為：「刺藩鎮利傳子孫，故妒敵專權而無勤勞王室之志，三句謂其自謀則固也。」㉘其說甚精。

義山又有《亂石》七絕之作，詩云：

虎踞龍蹲從復橫，星光漸減雨痕生。
不須併礙東西路，哭殺廚頭阮步兵。

此詩首句言亂石縱橫，或如虎踞、或如龍蹲，作種種猙獰可怖之狀。次句謂亂石為天降之隕石，案《春秋·穀梁莊公七年經》：「夜中，星隕如雨。」范寧《集解》：「如，而也。星既隕而復雨。」義山此句既用《春秋》典並取《穀梁》注家之說。三、四句言亂石不須阻礙東西，使人無路可走。「廚頭阮步兵」指阮籍，案《晉書·阮籍傳》：「籍聞步兵廚營人善釀，有貯酒三百斛，乃求為步兵校尉。……時率意獨駕，不由徑路，車跡所窮，輒痛哭而反。」詩之結句本此。詳味此詩，所謂「亂石」蓋指蔽賢之小人，屈復以為「刺小人當路」㉙，其說甚是。結句藉阮步兵以自況，實有日暮途窮之悲，語雖徑直，情自沈鬱。

義山又有《蜀桐》詩云：

玉壘高桐拂玉繩，上含非霧下含冰。
枉教紫鳳無棲處，斲作秋琴彈壞陵。

此詩首句言蜀桐產自玉壘山，其高可拂玉繩之星。次句言蜀桐上含非霧，下厲堅冰，除承首句盛言其高外，亦取冰清堅貞之意。後二句言如此美材斲作秋琴以彈《壞陵》㉚，世無賞音，徒令紫鳳失所耳。細味詩旨，詩中之蜀桐必有所指，程夢星曰：「此爲大中十一年梓州罷之作，題曰蜀桐，詩用玉壘，情事顯然。其曰紫鳳無棲，自是以後，無復辟聘矣。」㉛其說甚爲合理，若然，「此蜀桐」蓋指柳仲郢。柳仲郢之罷府內徵，有似美材之斲作秋琴，從此義山頓失棲身之所矣。詩意至爲沈痛。

義山又有《風》詩五絕云：

撩釵盤孔雀，惱帶拂鴛鴦。
羅薦誰教近，齋時鎖洞房。

此詩前二句言風之撩撥其孔雀釵，戲拂其鴛鴦帶，是狎而玩之之意。後二句言齋時本當密鎖洞房，然而卻使風得接近羅薦，狎而玩之，足見洞房扃鎖未密，其事亦出諸自願矣。全詩以第三句爲主，第四句是反語，謂宜鎖而未鎖也。程夢星、馮孟亭並以此詩爲刺女冠之作㉜，詳玩詩旨，蓋爲得之。然則題曰《風》者，蓋借喻狎近女冠之輕薄子弟也。

以上五詩，均爲借物喻他之作。

六

義山詠物詩常見手法之三，爲借物興感。此類手法之詠物詩。多以描摹物象爲主，作者攄懷所占之比重較輕，且作者之情懷多因物而觸發，往往見於篇末，起統攝全篇作用。故此類作品所詠之物，非借物以擬人，與借物自況及借物喻他之篇什顯有區別。如義山有《細雨》詩云：

瀟灑傍迴汀，依微過短亭。
氣涼先動竹，點細未開萍。
稍促高高燕，微疏的的螢。
故園煙草色，仍近五門青。

此詩首聯寫遠景，言細雨依偎迴汀，飄過短亭，遠望一片迷濛。「瀟灑」如聞其聲，「依微」若見其狀，直接描寫細雨，極爲細膩。頷聯及腹聯是近景，分別透過動物及植物雨中情態之描寫，間接刻劃細雨，頷聯言細雨隨微風俱來，觀綠竹之因風搖曳，已覺涼意襲人；而由於雨點甚細，池上聚生之浮萍甚至未因雨而離披。腹聯言高飛之燕因雨而轉爲迅疾，而閃爍之螢則因雨而益加疏落。其中，「稍促」、「微疏」與「未開萍」，皆著意洗發題中「細」字之義，而「氣涼」則傳神空際，寫出細雨之魂魄。結聯因煙草迷離，遂引發羈旅之感，想像故園草色之青連京華。據鄭玄《周禮》注，天子有皋、雉、庫、應、路五門，結句「五門」本此，用以泛指京師。此師題作《細雨》，詩中八句俱寫雨景，層次井然，寫細字尤其傳神，爲上乘之詠物詩。而全篇之重點，顯然在於物象之刻畫，僅在末聯微逗情思，結出客居思鄉之意。此與借物擬人之作，機杼自別，亦義山詠物之常法也。

義山又有《柳》詩七律，詩云：

江南江北雪初銷，漠漠輕黃惹嫩條。
灞岸已攀行客手，楚宮先騁舞姬腰。
清明帶雨臨官道，晚日含風拂野橋。
如線如絲正牽恨，王孫歸路一何遙。

此詩首聯言早春雪融，柳色初生；頷聯言柳條漸長，已可攀折。其中並借楚宮細腰之典，以狀新柳之楚楚可憐。腹聯言柳蔭正濃，官道野橋，所在帶雨含風，情態嫵媚。結聯言此如線如絲之柔條實牽動我之客愁羈恨，以王孫歸路方遙也。按《楚辭·招隱士》云：「王孫遊兮不歸，春草生兮萋萋。」收句「王孫」本此，藉指作者自身。此詩作年雖未能確考㊂，然味詩意，必客居他鄉之作也。首六句皆描摹物象，寫柳之柔美多情，僅於結聯引動歸思，收到己身，其機軸與前舉《細雨》一詩同。

義山詠雨之詩，爲數綦夥，又有《雨》詩五律云：

摵摵度瓜園，依依傍竹軒。
秋池不自冷，風葉共成喧。
窗迴有時見，簷高相續翻。

侵宵送書雁，應爲稻粱恩。

此詩寫秋雨，首聯「瓜園」、「竹軒」是地點，「摵摵」擬其聲，「依依」狀其形，上下互文，言秋雨度瓜園而傍竹軒，依依不去，所至作摵摵之聲。頷聯言秋雨淒其，爲秋池平添寒意；風雨相將，復使竹林喧嘩不已。腹聯言窗迴簷高，雨勢隨風翻飛，見其勢之不止。結聯則因侵宵聞雨中雁聲，觸動身世之感，言此雁之侵宵犯雨而送書，辛苦若此，蓋爲稻粱恩耳。義山飄泊四方，依人作幕，其情有與雁同者，故一結以雁自比，收到己身。觀七八句，足知此詩爲居幕之作，惟其時府主誰何，無由確考耳。此詩亦前六句描摹物象，結聯始以情語作收，機杼略同前舉《細雨》一詩，二詩皆寫雨入神，惟《細雨》是寫春雨，此篇則寫秋雨，同中之異，較然可會。

義山復有《風》詩云：

迴拂來鴻急，斜催別燕高。
已寒休慘淡，更遠尚呼號。
楚色分西塞，夷音接下牢。
歸舟天外有，一爲戒波濤。

此詩寫秋風，首聯「鴻」、「燕」互文，言鴻、燕之飛急而高，皆以秋風之故。「迴拂」、「斜催」寫鴻、燕受風而飛之姿態，宛然在目，可謂善於形容。頷聯言秋風之披拂使萬物愈爲慘淡蕭瑟，而秋風之呼號雖在遠而其聲彌厲。此二句極寫秋風之聲勢。腹聯爲江行即景，大江出西陵峽後，南岸有山，名荊門；北面有山，名虎牙；二山爲楚之西塞。又下牢縣在夷陵西北二十八里，自此以下，居民頗雜夷夏。義山此時蓋舟行於荊門、下牢之間，故曰：「楚色分西塞。夷音接下牢。」結聯「歸舟」即義山自指；「波濤」則回抱首聯及頷聯。風激浪湧，實宜戒愼，庶幾行舟之無害，此詩人之心口相語也。詩題曰《風》，前四句即就風之聲勢加意描寫，後四句敘江行，始收到己身，結出「戒波濤」之意。張爾田據詩意定此詩爲大中二年巴遊不遇歸荊門途中所作㉓，其說可從。

義山復有《和張秀才落花有感》五律云：

晴暖感餘芳，紅苞雜絳房。
落時猶自舞，掃後更聞香。
夢罷收羅薦，仙歸勅玉箱。
迴腸九迴後，猶自剩迴腸。

此詩首聯言草木似有感於晴暖天氣，故餘芳競發，紅絳滿目。此極誇花開之盛，爲下文花落伏根。頷聯言落時猶自飛舞，掃後更聞餘香，是寫落花之姿態及芬芳。腹聯言落花如好夢罷而收羅薦，復如仙女歸而駕玉箱（箱是車箱，玉箱猶言玉輿），乃承四句「掃後」而騁其想像。結聯言因落花而迴腸傷氣，極言落花感人之深。此詩題曰《和張秀才落花有感》，前六句寫落花，結二句是「有感」，細膩妥帖，自見筆力。以上五詩，均爲借物興感之作。

七

以上分別就義山詠物詩之題材及手法兩方面略作剖析，就其題材之廣泛言，足以見其詠物內容之豐富，凡所見所接，隨手拈來，皆成佳篇，信義山之高才難追。就其手法之區別言，「借物自況」與「借物喻他」兩類，詩中雖亦摹寫物象，實以寓意爲主；「借物興感」一類，詩中雖亦攄寫感觸，實以賦物爲主。前者屬於《詩》六義中之比體，後者屬於《詩》六義中之賦體，二者區分顯然。以義山之詠物詩而言，「借物自況」之什尤居絕大之比例，「借物喻他」次之。蓋義山工於比興㊄，詠物亦其手段之一，故其詠物詩往往有託意，注家於此頗多發明。然亦有尋常賦物之作，注家推求過深，遂流于穿鑿者，是在讀者之簡擇耳。

【附　註】

㊀見藝文版《毛詩正義》十三頁。
㊁見《文心雕龍·物色篇》，河洛版《文心雕龍校注》二九四頁。
㊂見《歲寒堂詩話》。
㊃此詩見於《文選》及《玉台新詠》，皆題班婕妤作，近代學者頗以爲是古辭，然亦未有顯證，茲仍從舊說。
㊄曹子建擬《苦寒行》爲《吁嗟篇》，乃感徙都而作，通篇假轉逢以自況。

(六)阮嗣宗《詠懷詩》中有《林中有奇鳥》一首，亦通篇假鳳凰以自喻所遇非時之悲。

(七)陶淵明《歸鳥》乃借詠歸鳥以發抒歸隱之情。

(八)今傳《玉谿生詩集》中有他人之詩而誤入者，如《赤壁》、《送阿龜歸華》等，約計十首，余別有考。

(九)舊本以「初來小苑中」五律及「長眉畫了繡簾開」、「壽陽公主嫁時妝」二首七絕合題爲《蝶三首》。馮浩本改從《戊籤》，將五律之作題爲《蝶》，七絕之作題爲《無題二首》。

(一〇)清劉熙載語，見《藝概》卷四。

(一一)馮浩及張爾田二譜皆不繫年。

(一二)會昌元年義山爲華州刺史周墀表奏頗多，張爾田因疑義山是年當暫居墀幕，茲從之。張說見《玉谿生年譜會箋》八十一頁。

(一三)《舊唐書》作盧弘正，《新唐書》作盧弘止，岑仲勉更據《郎官柱題名》，以爲作「止」是，作「正」誤。茲從之。岑說見《玉谿生年譜會箋平質》，附見張爾田《玉谿生年 譜會箋》二三七頁。

(一四)杜甫詩句，見《夢李白》第二首。

(一五)馮浩繫大中三年，張爾田繫大中六年。茲從張說。

(一六)見《玉谿生詩說》。

(一七)見《李義山詩偶評》二十六首。

(一八)此詩作於大中二年，距開成二年令狐楚之卒，首尾爲十二年，詩云十年者，舉成數耳。

(一九)馮浩、張爾田二譜皆繫此詩於大中三年。

㉚《戊籤》、《英華》作「應有待」。紀昀以爲本作「應有爲」，而校者以平仄不協顚倒之。

㉛馮浩、張爾田二譜皆繫此詩於開成五年。

㉜韓翃有姬柳氏，安史亂，兩人奔散，柳出家爲尼，韓爲平盧節度使侯希逸書記，使人寄柳詩云：「章台柳，章台柳，昔日青青今在否，縱使長條似舊垂，亦應攀折他人手。」見孟棨《本事詩・情感一》

㉝見《言語篇》。

㉞已見前文。

㉟見里仁版《玉谿生詩集箋注》六四六頁。

㊱見《隨園詩話》卷一。

㊲馮浩及張爾田二家譜並主此說。

㊳見里仁版《玉谿生詩集箋注》二〇八頁。

㊴見正大版《玉谿生詩意》四三七頁。

㊵《琴操》：「十二曰壞陵，伯牙所作。」

㊶見廣文版《李義山詩集箋注》三六三頁。

㊷程說見廣文版《李義山詩集箋注》三〇四頁，馮說見里仁版《玉谿生詩集箋注》五六二頁。

㊸馮浩及張爾田二譜此詩皆未繫年，蓋乏顯證也。

㊹見中華版《玉谿生年譜會箋》一五〇頁。

㊺義山工於比興，前人言及者頗多，如賀裳《載酒園詩話》云：「魏晉以降多工賦體，義山猶存比興。」

參考書目

壹、專著

《李義山詩集輯評》 朱鶴齡箋注、沈厚塽輯評 學生書局
《李義山詩集箋注》 姚培謙箋注 中文出版社
《李義山詩集箋注》 程夢星箋注 廣文書局
《玉谿生詩集箋注》 馮浩箋注 里仁書局
《玉谿生詩意》 屈復 正大印書館
《西崑發微》 吳喬 借月山房彙鈔本 藝文印書館
《李義山詩解》 陸崑曾 學海出版社
《玉谿生詩說》 紀昀 藝文印書館
《李義山詩偶評》 黃侃 學海出版社
《李義山詩辨正》 張爾田 《玉谿生年譜會箋》附錄 中華書局
《李商隱評論》 顧翊群 中華詩苑
《李商隱和他的詩》 朱偰等 學生書局

《玉谿詩謎》　蘇雪林　商務印書館
《李義山詩析論》　張淑香　藝文印書館
《李商隱研究》　吳調公　上海古籍出版社
《李商隱詩論稿》　藍于　中華書局
《李商隱詩研究》　黃盛雄　文史哲出版社
《李商隱詩箋辭方法論》　顏崑陽　學生書局
《李商隱詩集箋注》　葉蔥奇　里仁書局
《李商隱詩歌集解》　劉學鍇、余恕誠　中華書局
《李商隱評傳》　楊柳　木鐸出版社
《樊南文集》　馮浩詳注　上海古籍出版社
《樊南文集補論》　錢振倫、錢振常箋注　上海古籍出版主
《玉谿生年譜會箋》　張爾田　中華書局
《玉谿生年譜會箋質疑》　岑仲勉　《玉谿生年譜會箋》附錄　中華書局
《舊唐書》　劉昫等　鼎文書局
《新唐書》　歐陽修等　鼎文書局
《資治通鑑》　司馬光　世界書局

《通鑑隋唐紀比事質疑》　岑仲勉　九思出版社
《唐會要》　王溥　世界書局
《唐六典》　《四庫全書》本　商務印書館
《文獻通考》　馬端臨　新興書局
《登科記考》　徐松　中華書局
《讀史方輿紀要》　顧祖禹　樂天書局
《唐人行第錄》　岑仲勉　九思出版社
《唐史餘瀋》　岑仲勉　弘文館出版社
《唐集質疑》　岑仲勉　《唐人行第錄》附錄　九思出版社
《唐僕尙丞郎表》　嚴耕望　中研院史語所
《唐摭言》　王定保　世界書局
《唐語林》　王讜　世界書局
《唐國史補》　李肇　世界書局
《雲溪友議》　范攄　世界書局
《酉陽雜俎》　段成式　源流出版社
《春明退朝錄》　宋敏求　《百川學海》本　藝文印書館

《夢溪筆談》　沈括　世界書局
《長安志》　宋敏求　《經訓堂叢書》本　藝文印書館
《太平廣記》　李昉　新興書局
《毛詩正義》　孔穎達　藝文印書館
《楚辭集注》　朱熹　藝文印書館
《全唐詩》　清聖祖敕定　文史哲出版社
《唐詩紀事》　計有功　中華書局
《全唐文》　董誥等奉敕編　文友書局
《唐才子傳》　辛文房　文津出版社
《苕溪漁隱叢話》　胡仔　長安出版社
《詩人玉屑》　魏慶之　九思出版社
《唐音癸籤》　胡震亨　木鐸出版社
《歷代詩話》　鍾嶸等　藝文印書館
《續歷代詩話》　孟棨等　藝文印書館
《清詩話》　王夫之等　明倫出版社
《清詩話續編》　毛先舒等　上海古籍出版社

《百種詩話類編》　臺師靜農主編　藝文印書館
《石遺室詩話》　陳衍　商務印書館
《詩言志辨》　朱自清　開明書店
《談藝錄》　錢鍾書　學海出版社
《寥音閣詩話》　俞大綱　《俞大綱全集》本　幼獅文化事業有限公司

貳、單篇論文

〈論李義山詩〉　繆鉞　《詩詞散論》所收　開明書店
〈李商穩詩之淵源及其發展〉　勞榦　《幼獅學報》一卷二期
〈李商隱詩探微〉　孫甄陶　《新亞學報》四卷二期
〈李商隱之詩及其風節〉　曾克耑　《文學世界》二十五期
〈論李義山詩〉　金達凱　《民主評論》十二卷二十三期
〈李商隱詩評析〉　劉若愚　《清華學報》七卷二期
〈義山詩的傷時與自傷〉　孫克寬　《東方雜誌》三卷九期
〈試論義山詩〉　呂興昌　《中國古典文學研究叢刊》詩歌之部(二)
〈李義山其人其詩〉　宜珊　《今日中國》十七期
〈李商隱的第一首詩〉　芷園　《中國語文》四十卷四期

〈讀玉谿生詩劄記〉　龔鵬程　《中華詩學》十四卷三期
〈李義山政治詩摘箋〉　高越天　《中國詩季刊》五卷二期
〈義山絕句選評〉　高越天　《夏聲》一三七期
〈李商隱的詠史詩〉　方瑜　《中外文學》五卷一、二期
〈論「象外象、景外景」兼談晚唐二李詩〉　陳曉薔　《現代學苑》一卷二期
〈李商隱詩中的視覺意象〉　姚一葦　《中華文化復興月刊》四卷五期
〈李商隱詩的境界〉　劉若愚著、方瑜譯　《幼獅》三十七卷一期
〈自月意象的嬗變論李義山的月世界〉　陳器文　《中外文學》五卷二期
〈比較與翻案——論義山七律末聯的深一層法〉　陳文華　《中國文化復興月刊》十一卷二期
〈從美感經驗說試探義山詩〉　歐陽炯　《大陸雜誌》六十六卷二期
〈李義山「錦瑟」詩考證〉　心史　《東方雜誌》二十三卷一期
〈環繞李義山「錦瑟」詩的諸問題〉　徐復觀　《中國文學論集》　學生書局
〈從義山「嫦娥」詩談起〉　葉嘉瑩　《大陸雜誌》三卷四期
〈李義山「無題」詩十五首考釋〉　湯翼海　《香港民主評論》十四卷六、七、九、十一期
〈李商隱「燕台」詩評述〉　勞榦　《文學雜誌》一卷一期
〈從「落花詩」談李商隱淒迷的身世〉　汪師雨盦　《華文世界》六期

〈談玉谿生「安定城樓」詩〉　汪師雨盦　《木鐸》五卷六期

柒、李商隱之比體詩

一、比興略說

《詩》有六義，一曰風，二曰賦，三曰比，四曰興，五曰雅，六曰頌㊀。風、雅、頌三者據詩之體裁而類分，故《詩經》含十五國《風》、《大雅》、《小雅》及《商頌》、《周頌》、《魯頌》等作品；賦、比、興三者本詩之作法而區別，故《詩經》之作，有專用賦者，有專用比及興者，亦有二者或三者雜用者。

賦者舖也，舖陳其事，著其善惡，是直接描寫之法㊁；比者以彼況此，不直斥其事，屬譬喻之法㊂。二者義較單純，前儒於此較少爭議，至於「興」辭，厥義較為幽隱㊃，故自毛萇、鄭司農及鄭玄而後，異說孔繁，余以為合鄭司農、孔穎達及朱熹三家之言，可以得「興」義之真際。《毛傳》說「興」，失之太泛，往往與「比」相混；鄭玄以美刺分釋「興」「比」，但其箋「興」詩，仍多是刺意，先已自相乖牾，故皆不取焉。鄭司農解「興」為「託事於物」㊄，孔穎達既引其說，又從而釋之曰：

興者起也，取譬引類，起發己心，詩文諸舉草木鳥獸以見意者，皆興辭也。㈥

據此，是「興辭」就其性質而言，有觸發情思、引起聯想之作用，就其文辭而言，則往往舉草木鳥獸以見意。朱熹對於「興」之解釋見於《周南、關睢》《集傳》，其言曰：

興者先言他物以引起所詠之詞也。

據此，是「興」辭往往在篇首，有引起下文之作用。以上朱熹及孔穎達對「興」義之詮釋，就其表面觀之，似有不同，實則非但不相排斥，且有相輔相成之作用，蓋「興」辭往往「舉草木鳥獸以見意」，且多在篇首，「起發己心」係就其內在性質而言，「引起所詠之詞」係就其外在形式而言，孔穎達與朱熹蓋各就其一端而立言耳。

據上所說，則「興」與「比」之差異，可得而言：

一、「比」係以類似之物譬擬之，能喻與所喻之間必當有共同之情狀以爲居中之媒介；「興」則純是一種聯想之作用，「興」辭與所引起之聯想之間不必然有共同情狀之存在，蓋此牽涉到個別之特殊經驗，故能引起某甲聯想之「興」辭不一定能引起某乙相同之聯想內容。㈦

二、「興」是觸物起情，故「興」辭多在篇首，亦稱爲「起興」；「比」是藉物爲喻，故「比」句多在章中。㈧

三、「興」義雖或貫串全章，而「興」辭則往往爲局部；比雖常聯係局部，然亦有全章爲比者，此種全章爲比之詩作，謂之比題詩，即本文所欲探討之主題。

二、李商隱詩多存比興

《詩》之六義，係就《詩經》而言，故賦、比、興三者蓋本爲前儒分析歸納《詩三百篇》作法之所得。但法門一經拈出，足以規矩百代，試觀後世辭人之作，論其作法，又何能出賦，比、興三者之外！惟個別辭人因其稟性及際遇不同，故其作品或偏於用「賦」，或偏於用「比」「興」，程度有差，此爲造成作品獨特風格之重要因素。

以晚唐詩人而言，李商隱獨工於比興，擅長以象徵之手法，寓託其幽憶怨斷之情感，此點早經前人點出，如賀裳《載酒園詩話又編》云：

> 魏、晉以降多工賦體，義山猶存比興。⑨

而朱鶴齡之《箋注李義山詩集序》言之尤詳：

> 或曰：「義山之詩，半及閨闥，讀者與《玉臺》、《香奩》例稱。荊公以爲善學老杜，何居？」予曰：「男女之情，通於君臣朋友。《國風》之螓首蛾眉，雲髮瓠齒，其辭甚褻，聖人顧有取焉；《離騷》託芳草以怨王孫。借美人以怨君子，遂爲漢、魏、六朝樂府之祖。古人之不得志於君臣朋友者，往往寄遙情於婉孌，結深怨於蹇修，以序其忠憤無聊纏綿宕往之致。唐至太和以後，閹人暴橫，黨禍蔓延。義山阨塞當塗，沈淪記室。其身危，則顯言不可而曲言之；其思苦，則莊語不可而謾語之。計莫若瑤臺璚宇、歌筵舞榭之間，言之可無罪，而聞之足

以動。其《梓州吟》云『楚雨含情俱有託』，早已自下箋解矣。吾故曰：義山之詩，乃風人之緒音，屈、宋之遺響，蓋得子美之深而變出之者也。豈徒以徵事奥博，擷采妍華，與飛卿、柯古爭霸一時哉！學者不察本末，類以『才人』、『浪子』目義山，即愛其詩者，亦不過以為帷房暱媟之詞而已，此不能論世知人之故也。

朱氏就時代背景及個人際遇兩端，敷說義山詩所以多用比興之故，可謂深切著明。蓋義山早年受知於令狐楚㊀，開成二年義山中進士第，猶藉楚子令狐綯推轂之力㊁，及次年義山娶王茂元之女為夫人，王茂元素為李德裕所厚，與令狐黨於牛僧孺為不同政治集團，故義山以此大為令狐綯所怨，綯與牛黨人士共排笮之，是年試博學宏詞，義山之不中選即坐此故，而義山一生之沈淪下僚，終老記室，侘傺以卒，亦以此為大關鍵。義山為令狐綯等所疏遠而不用，在曠達之士亦能有以自解，無奈義山之用情，乃如春蠶之作繭自縛，故向令狐綯陳情之作疊見於集中㊂。陳情之作，如用賦體，則嫌其直遂，於是採用比興之手法，以發抒其忠憤無聊纏綿宕往之情感，乃成為理所當然。是故義山詩之多用比興，除與其所處之時代背景有關以外，義山本人之際遇亦有甚大牽涉。朱氏所謂「其身危，則顯言不可而曲言之」承上文之「唐自太和以來，閹人暴橫，黨禍蔓延」，係就時代背景而言；至於「其思苦，則莊語不可而謾語之」二句則承上文之「義山阨塞當途，沈淪記室」，顯然係就義山之個人際遇而言。

三、義山之比體詩例釋

義山善用比興象徵之法，以寄託其幽眇怨憤之思，其比體之作，歸納而言，可得四類：一為藉物喻人之詠物詩，二為藉古喻今之詠史詩，三為藉神仙以喻人事之遊仙詩，四為藉男女以喻主臣師友之艷情詩。以下即依此四類，分別舉例加以說明。

㈠藉物喻人之詠物詩

藉物喻人之詠物詩，表面是以物為描寫對象，實際上是藉物以喻人。故此類詠物詩往往即物即人，人與物合而為一，既不黏皮帶骨，泥滯於物，復能寄託深意，提高詠物詩之境界。此類篇什，自《詩經》、《楚辭》而下，頗不尠見，如班婕妤之《短歌行》，藉團扇自況以託寄見疏之怨；曹子建之《吁嗟行》，藉轉蓬自比，以抒發其同根而見滅之悲；其他如鮑明遠《梅花落》之詠梅，張子壽《感遇》之詠丹橘，亦皆有所託寄，非單純詠物之比。李義山工於詠物，其詠物詩中亦多藉物喻人之作，如《垂柳》五律：

娉婷小苑中，婀娜曲池東。
朝珮皆垂地，仙衣盡帶風。
七賢寧占竹，三品且饒松。
腸斷靈和殿，先皇玉座空。

首聯「娉婷」、「婀娜」狀柳樹姿態之美，「小苑」、「曲池」言柳樹生長之地。次聯承「娉婷」、「婀娜」，進一步描繪柳之姿態，當其靜時，枝葉如朝珮之垂地；當其動時，如仙衣之帶風。腹聯藉松、竹相形，寫柳之委屈，七賢寧遊於竹林㊂，松樹則有三品之封㊃，柳空有「娉婷」、「婀娜」之姿，既無官封，復不爲七賢所重，其委屈可想。結聯用齊武帝之事㊄，慨嘆賞愛柳之人已逝，成爲先帝，其玉座上已闃然無人。此詩馮浩以爲「借喻朝貴之爲新君所斥者」㊅，並定爲開成五年所作。案開成五年正月，文宗崩，九月，門下侍郎同平章事楊嗣復檢校吏部尚書潭州刺史，充湖南都團練觀察使，旋貶潮州刺史，故馮浩又云「或者垂柳即垂楊，暗寓嗣復之姓。」㊆是馮氏以此詩之「垂柳」爲喻指楊嗣復。程夢星則以此詩爲自喻之作，程氏云：「此自感身世，追思文宗也。義山於君臣遇合絕少，惟文宗開成二年登第，故不能已於成名之感，偶對垂柳發之也。」㊇以上二說雖有自喻及喻他之別，但皆以此詩爲藉物喻人之比體詩則無二致。揆以「三品且饒松」之語，與楊嗣復之嘗爲宰輔大臣似有未合，詩中所描繪之垂柳娉婷婀娜形象及結聯用張緒事，與位望崇重之大臣亦爲不類，然則當以自喻之說較爲可信。義山雖歷文、武、宣三朝，以其身中進士第於開成二年，故獨於文宗有知遇之感，此詩結聯所流露之故君之感，正可與《詠史》之結聯：「幾人曾預《南薰曲》，終古蒼梧哭翠華」二句互勘㊈。

義山又有《賦得雞》七絕一首，亦爲比體之作，詩云：

稻粱猶足活諸雛，妒敵專場好自娛。

可要五更驚穩夢，不辭風雪爲陽烏。

稻粱豐足，足活諸雛，然鬥雞猶自妒嫉對手，好以獨霸全場爲樂。彼豈肯於五更時從安穩夢鄉中驚醒，不辭風雪而叫曉，以迎接太陽之升起乎！《戰國策、秦策》云：「諸侯不可一，猶連雞不能俱止於棲亦明矣。」馮浩以此詩取「連雞」之義，云：「刺藩鎮利傳子孫，故妒敵專權而無勤勞王室之志。⑳」並定此詩爲會昌三年討澤潞、宣諭河朔三鎮時所作。張爾田從其說㉑。案日爲君象，詩文屢見，馮說可從。會昌三年四月，昭義節度使劉從諫卒，其侄劉稹據鎮自立，抗拒朝旨。八月，以成德軍節度使王元逵充北面招討使，魏博節度使何弘敬充東面招討使，徐泗節度使李彥佐爲晉絳行營諸軍節度澤潞西南面招討使，仍委河中節度使陳夷行、河陽節度使王茂元、太原節度使劉沔各進兵攻討，而李彥佐、何弘敬、王宰等皆懷觀望，王元逵與何弘敬、王宰與天德軍節度使石雄皆不協，凡此之類，皆「妒敵專場」及「可要五更驚穩夢，不辭風雪爲陽烏」之謂也。韓偓有《觀鬥雞偶作》七絕之作㉒，亦以鬥雞比況當時之藩鎮，與義山此詩喻意相類，亦可互證。

義山又有《流鶯》七律云：

流鶯漂蕩復參差，度陌臨流不自持。
巧囀豈能無本意，良辰未必有佳期。
風朝露夜陰晴裡，萬户千門開閉時。
曾苦傷春不忍聽，鳳城何處有花枝？

詩之前四句言流鶯到處飄蕩，參差其羽，度陌臨流，不能自持。其悲啼巧囀豈能無苦衷，無奈此苦衷無人理會，故雖逢良辰，亦未必有其佳期。腹聯則承上啓下，言流鶯之飄蕩參差與悲啼巧囀，乃不分陰晴，無間晝夜。結聯言此流鶯巧囀之悲涼，使曾苦傷春之人不忍卒聽，故有「鳳城何處有花枝」之嘆息，欲爲謀一枝之棲。此詩乃義山傷己之飄蕩無所依託而藉流鶯以自況，寓意顯然。汪辟疆云：「起二語曰『飄蕩』，曰『參差』，即隱寓身世飄蓬之感。三四喻己屢啓陳情與見之詩文者，自有肺腑之言，而他人未必能共諒，此良辰佳期之所以不至也。」㊂詮釋前四句之旨意，至爲愜當。結處之「鳳城」乃「丹鳳城」之省，本指秦都咸陽，此處借指唐朝之京師長安。義山於開成四年釋褐爲秘書省校書郎，旋調補弘農尉。會昌二年以書判拔萃，授秘書省正字，旋丁母喪。會昌五年十月，服闋入京，重官秘書省正字，迄六年。大中五年，復以文章干令狐綯，補太學博士。以上義山爲朝官之時均極短暫，其餘時間均在幕府充當僚佐，先後追隨之府主有令狐楚、崔戎、王茂元、鄭亞、盧弘止㊃、柳仲郢等，備極流轉之苦。此詩之作時雖不可確考，其欲得一朝官而定居京師之願望則至爲明顯。初唐詩人李義府詩云：「上林多少樹，不借一枝棲。」義山此詩之結句託寓之情正爾相同。

以上所舉各例，皆通體詠物，而藉物喻人，人即隱於物中，於詩中人不復出場。李義山另有一類比體之詠物詩，則除詠物並藉物以喻人以外，人本身亦於篇中出場，形成物與人並寫之情形，如《蟬》：

本以高難飽，徒勞恨費聲。

五更疏欲斷，一樹碧無情。
薄宦梗猶泛，故園蕪欲平。
煩君最相警，我亦舉家清。

清高本應難飽，蟬乃不甘而發爲怨聲，亦但徒然浪費氣力而已，雖叫至五更，聲嘶力竭，而所棲之樹乃一碧無情，不爲所動。反思自身則寄於微官，求食四方，如桃梗之隨水西東，而故園亦已荒蕪，欲效陶彭澤之歸去，亦勢所不許。當此進退失據之際，聞此蟬唱，不覺深有所感，勾起清高難飽，徒費恨聲之浩歎。此詩前半寫蟬，即以自喻，後半自寫，仍收到蟬，是詠物之同時，人物本身亦於篇中出場。義山既爲令狐綯所疏，屢啓陳情，而令狐不之省，故託蟬以寄慨[25]，所謂「牢騷人語」也。

義山又有《野菊》七律一首，詠野菊之同時，人物本身亦於篇中出場，與《蟬》機軸略同，詩云：

苦竹園南椒塢邊，微香冉冉淚涓涓。
已悲節物同寒雁，忍委芳心與暮蟬。
細路獨來當此際，清樽相伴省他年。
紫雲新苑移花處，不取霜栽近御筵。

首句苦竹園南，椒塢之邊，點出野菊之所在，正切野字，而苦竹、椒辛即寓含愁恨之意。菊爲秋日之花，秋日霜寒露重，故次句云微香冉冉，清淚涓涓。三句悲節物推移，同於寒雁，即承「淚涓涓」，亦暗含播遷之意；四句不忍委棄芳心，與暮蟬同歇，承「微香冉冉」，有恐修名不立之意。腹聯言自己今夕細路獨來，不禁憶起當年樽酒追陪之盛況。結聯又回到野菊身上，感慨不蒙栽培，空令屏棄在野。「憾其子，追思其父」，是此詩之主旨，前四句及結二句皆就野菊說，即藉野菊以自況㉗。詩蓋作於大中三年㉘，是年二月，令狐綯拜中書舍人，又移居晉昌坊，故七句「紫雲新苑移花處」，蓋兼指移官與移居而言。收句「不取霜栽近御筵」，則與《九日》詩「不學漢臣栽苜蓿」同一寓意。五、六兩句是作者自陳，即人物本身出場，令狐楚最愛白菊，故因此野菊而聯想及之，其言「清樽相伴省他年」者，猶《九日》詩之「曾共山翁把酒時」也。

(二)藉古喻今之詠史詩

今事與作者之身相接，其所涉及之人物與作者之關係較為密切，直說其事，略無含蓄，既乖詩歌婉曲之體，亦恐得罪於人，引致無謂之爭端，甚或招來禍機。故作者裁篇製辭，往往藉古以況今，其始蓋源於左思，鍾嶸評左思詩，以為「得諷諭之致」㉙，即就其《詠史》八首而言，張玉穀亦云：「太沖《詠史》，初非呆衍史事，特借史事以詠己之懷抱也。」㉚自左思而後，藉古喻今之作，層見疊出，尤盛於唐，如王摩詰《息夫人》「莫以今時寵」五絕、沈雲卿《雜詩》「聞道黃龍戍」五律，均屬此類。李義山詠史之詩甚多，其中不乏託古諷今或藉古喻今之作，如《富平少侯》七律：

七國三邊未到憂，十二身襲富平侯。
不收金彈拋林外，卻惜銀床在井頭。

綵樹轉燈珠錯落，繡檀迴枕玉雕鎪。
當關不報侵晨客，新得佳人字莫愁。

前漢張安世封富平侯，傳至其玄孫張放，爲元弟妹敬武公主所出，極受成帝寵愛，此詩題目作《富平少侯》，即指張放。首聯言富平少侯年少即襲封侯爵，而對國家內亂外患之事卻從不關心，次聯及腹聯四句言其只知講求個人生活之享受，打獵時黃金製成之彈丸尙任其拋擲林外而不收回，則井邊之轆轤架豈惜以銀爲之；入夜則張燈結綵，飲酒作樂，燈柱上繫燈環繞，有如錯落之明珠；檀枕上四面刻鏤花紋，有如精美之玉雕。結聯言其守門不爲侵晨之客通報，因富平少侯新得名曰莫愁之佳人，尙高臥未起也。二句總收前文，又增加一層荒淫好色之意，且以「莫愁」映照首句之「未到憂」，諷其有愁而不知愁，佈局甚爲緊湊。此詩題面雖爲詠古，而內容則不皆細切，顯爲託古諷今之作，所諷之對象或以爲指唐敬宗㉜，或以爲指唐武宗㉝，或以爲指當時之權貴子弟㉞，以張放之爲權貴子弟，與敬宗、武宗之身爲帝王，身份懸絕，擬人必於其倫，則知以爲諷敬宗或以爲諷武宗，二說均有未安，以爲諷權貴子弟則庶幾近之。

義山又有《陳後宮》五律云：

茂苑城如畫，閶門瓦欲流。
還依水光殿，更起月華樓。
侵夜鸞開鏡，迎冬雉獻裘。

從臣皆半醉，天子正無愁。

南朝陳後主爲有名之荒淫帝王，此詩題曰《陳後宮》，實即描寫陳後主之生活，首聯「茂苑」、「閶門」皆借指建康，「城如畫」、「瓦欲流」，言都城已極壯麗。次聯言更廣興建造。腹聯「鸞開鏡」、「雉獻裘」爲「開鸞鏡」、「獻雉裘」之省文，二句言其沈溺於聲色篡組之好。結聯用北齊後主事，案《北齊書》云：「後主好彈琵琶，自爲《無愁之曲》，民間謂之無愁天子。」即其事也，二句諷其君臣醉生夢死，有愁而不知愁。此詩雖詠陳後主，內容不切細切，亦屬託古諷今之作，與前舉之《富平少侯》爲一類。託諷之對象，自程夢星、徐逢源、馮浩等並以爲指唐敬宗㉝，揆以敬宗遊幸無常，好治宮室之行事，其說蓋是。杜牧《上知己文章敬》云：「寶曆大起宮室，廣聲色，故作《阿房宮賦》。」亦足爲旁證。

以上二首爲託古諷今之詠史詩，至於藉古喻今之詠史詩，在義山集中則如《茂陵》：

漢家天馬出蒲梢，苜蓿榴花遍近郊。
內苑只知含鳳觜，屬車無復插雞翹。
玉桃偷得憐方朔，金屋修成貯阿嬌。
誰料蘇卿老歸國，茂陵松柏雨蕭蕭。

茂陵係漢武帝陵墓之稱，全詩皆寫武帝之事，首聯誇其武功，漢家天馬，名曰蒲梢，乃武帝伐大宛所得，並苜蓿榴花，遍植近郊，亦漢臣自西域移植。次聯上句言武帝好游獵，射禽時絃斷則以西國所獻續絃膠續之；下句言其已崩駕，插鸞旗之副車不復可見。腹聯又追溯生前之事，上句言武帝好神仙，東方朔以能爲帝自西王母處偸得仙桃故特邀寵幸；下句言其好女色，娶得陳阿嬌特爲作金屋以貯之。結聯以蘇武事作收，慨其壽命不延，仍收到邊事，與首聯相呼應。此詩自朱鶴齡以下，如姚培謙、屈復、馮浩、張爾田等注家皆以爲借漢武帝以喻指唐武宗㉕。蓋爲近是。因武宗對外則抗擊回鶻侵擾，對內則平定澤潞叛鎭，於中、晚唐諸帝中武功爲最著，且好遊獵及武戲，親受道士趙歸眞法籙，又深寵王才人，欲立爲后，凡此皆與漢武行事相類，故借詠漢武以諷之也。觀詩之次聯及結聯，則知爲武宗崩後所作㉖。

此外，如《賈生》七絕云：

宣室求賢訪逐臣，賈生才調更無倫。
可憐夜半虛前席，不問蒼生問鬼神。

案《史記·賈生傳》云：「賈生徵見，孝文帝方受釐，坐宣室，上因感鬼神事而問鬼神之本，賈生因具道所以然之狀。至夜半，文帝前席。既罷，曰：『吾久不見賈生，自以爲過之，今不及也。』」義山此詩詠賈生，即節取此一事以爲議論之根據，首句及次句寫文帝於宣室訪問逐臣賈生，若深美文帝者然，實則乃爲下文蓄勢，三句及四句始是正意所在，三句之「可憐」及「虛」字揭明文帝之不能用賢，唱歎有味，四句「不問蒼生問鬼神」則承三句進一步申言癥結之所在。詩雖只四句，而神完意足，洵爲詠史佳製。晚唐諸帝往往服藥求仙，荒於政事，武宗且因藥躁而致喜怒無常，因此殞命，是義山此詩之刺譏漢文實以借喻時主，而義山沈淪下僚，空懷「欲迴天地」之志，則其慨賈生之不遇，實亦隱寓自傷之意。

㈢借男女以喻主臣師友之艷情詩

艷情之作以男女比況主臣師友，以寓遇合之感，自古即有之，若曹子建《七哀》之什、《美女》之篇，及唐世張籍《節婦吟》、朱慶餘《近試上張籍水部》、王建《新嫁娘》等均屬此類。義山集中有數量不少之《無題》詩，此類《無題》詩，就辭意而言，皆詠艷情，就其本旨而言，則可區為兩類，一類係詠本事，實寫艷情，屬於賦體；一類則藉男女以寓個人遇合之情，屬於比體。此類屬於比體之《無題》詩，如

八歲偷照鏡，長眉已能畫。
十歲去踏青，芙蓉作裙衩。
十二學彈箏，銀甲不曾卸。
十四藏六親，懸知猶未嫁。
十五泣春風，背面鞦韆下。

詩為五言短古，八歲照鏡以畫眉，十歲芙蓉為裙衩，其早慧可想；彈箏銀甲不卸，則見其習藝之勤；十四藏親未嫁，則知其猶未事人；結二句春風暗泣，乃直露本意，為一篇之結穴。案李義山《上崔華州書》云：「五年誦經書，七年弄筆硯㉗。」又其《樊南甲集叙》云：「樊南生十六能著《才論》、

《聖論》，以古文出諸公間。㊳」持與此詩兩相印證，則知此詩乃藉少女思春之情以喻寫義山個人追求仕進冀望遇合之苦悶，蓋未釋褐時所作，屈復曰：「十五二句寫聰明女郎省事太早，而幽怨隨之，才士之少年不遇，亦可嘆也。㊴」其說甚是。

他例如：

照梁初有情，出水舊知名。
裙衩芙蓉小，釵茸翡翠輕。
錦長書鄭重，眉細恨分明。
莫近彈碁局，中心最不平。

詩爲五言律體，首聯言其「照梁」、「出水」之美，早即知名於世，而今則初有愛情之苦悶。次聯芙蓉裙衩，翡翠釵茸，則盛誇其盛飾之美。腹聯錦書寄遠，情甚殷切，眉細而彎，有恨分明，承首句之「初有情」，暗示其愛情之遭遇挫折，逼出結聯「莫近彈碁局，中心最不平」二句。蓋彈碁之局以石爲之，中央高起而四方低下，「中心不平」一語雙關，近承七句而就彈碁之局以言，是第一層意；遙承一至六句而就此少女之心情言之，是第二層意，後者是主，前者是從。此詩蓋亦比體之作，寓意與前舉「八歲偷照鏡」一首近似，皆以女子之容飾比喻才華，以愛情之挫折比喻仕宦之失意，詩中之少女即義山之化身也㊵。

又如：

鳳尾香羅薄幾重，碧文圓頂夜深縫。
扇裁月魄羞難掩，車走雷聲語未通。
曾是寂寥金燼暗，斷無消息石榴紅。
斑騅只繫垂楊岸，何處西南待好風。

詩為七言律體，首聯言夜深就寢，羅帳疊合，故鳳尾碧文，香薄幾重。此聯是現實之敘述，下文則輾轉反側，寤寐思服，曲寫詩中主角心事。扇裁月魄，難掩羞愧，車走雷聲，未通片語，以至於燼暗夜沈，寂寥獨守，皆往事之回憶。及今春盡，又見石榴花紅，而迄無佳訊，眞欲絕望矣。結聯則咫尺天涯之恨，所思之人繫馬只在垂楊之岸，其處未遠，何處待得西南好風，遂我心願耶！《易·坤卦·彖辭》云：「西南得朋。」又曹子建《七哀》詩云：「君若清路塵，妾若濁水泥。浮沈各異勢，會合何時諧？願為西南風，長逝入君懷。君懷良不開，賤妾當何依？」當為本詩結句所本。此詩蓋亦自傷不遇而託喻於閨情之作，陸崑曾云：「按本傳云：『令狐綯作相，商隱屢啓陳情，綯不之省。』二詩（此題凡二章，故云。本文所舉者為首章）疑為綯發。因不便明言，而託為男女之詞，此《風》《騷》遺意也。㊃」又云：「曰『羞難掩』，是欲強顏見之也。曰『語未通』，是不得與之言也。五曰自朝至暮，惟有寂寥。六曰自春徂夏，略無消息。結言所以若是者，豈眞道之云遠哉？亦莫我肯顧耳。㊃」並引義山《留贈畏之》詩「瀟湘浪上有煙景，安得好風吹汝來」二句，以為與此詩結聯同意。其說蓋為近是，前文所引曹子建《七哀》亦是借喻身世之作，而義山用之，似亦可資一證也。

㈣借神仙以喻人事之遊仙詩

遊仙之作以神仙喻人事，其始蓋肇端於郭璞。郭璞有《遊仙詩》十四首㊸，鍾嶸以爲「詞多慷慨」，乃是「坎壈詠懷㊹」，李善亦云：「凡游仙之篇，皆所以滓穢塵網，錙銖纓紱，餐霞倒景，餌玉玄都。而璞之制，文多自叙。㊺」均是有見之言。義山集中假神仙以喻人事之詩亦不少，如《重過聖女祠》七律之作即屬之，詩云：

白石巖扉碧蘚滋，上清淪謫得歸遲。
一春夢雨常飄瓦，盡日靈風不滿旗。
萼綠華來無定所，杜蘭香去不移時。
玉郎會此通仙籍，憶向天階問紫芝。

神女祠在陳倉與大散關之間，義山於開成二年自興元歸長安，曾經此祠，有《聖女祠》五古之作，此詩蓋作於大中十年㊻，時梓州刺史柳仲郢自四川內調，義山隨同還朝，復經此祠，感而作此，故題目有「重過」二字。首聯慨聖女淪謫人間，遲遲未得歸返天上，出句之「滋」字正與落句之「遲」字相映發。次聯雨常飄瓦，風不滿旗，承首聯謂助力不大。「夢雨」指「雨之至細若有若無者」㊼，「靈風」猶言好風。腹聯則以萼綠華及杜蘭香反襯神女之沈滯，二人亦皆仙女，「來無定所」，則非淪謫可知；「去未移時」，則異於歸遲。結聯深盼掌神仙簿籍之玉郎能助神女，使重登於天上。此詩次句「上清淪謫得歸遲」爲一篇之主旨，顯然係義山寄慨身世之作，神女蓋以自況也㊽。義山《贈華陽宋眞人兼寄清都劉先生》詩云：「淪謫千年別帝宸，至今猶識蕊珠人。」可持與此詩合觀。結聯「憶向天階問紫芝」，義山自謂當年登第釋褐，嘗任祕書省校書郎，本有資格任朝官也。「玉郎」則指在朝之當權者，冀彼能施予援手。

他例如《海客》七絕云：

海客乘槎上紫氛，星娥罷織一相聞。
只應不憚牽牛妒，聊用支機石贈君。

按《荊楚歲時記》言武帝命張騫使大夏，尋河源，乘槎經月而至一處，見城郭如州府，室內有一女織，又見一丈夫牽牛飲河。騫問曰：「此是何處？」答曰：「可問嚴君平。」織女乃取榰機石與騫俱還。後至蜀問嚴君平，君平曰：「某年某月某日客星犯牛、女㊾。」又《博物志》言天河與海通，近世有人居海渚者，年年八月見浮槎，去來不失期，人有奇志，立飛閣於楂上，多齎糧，乘槎而去。十餘日中猶觀星月日辰，自後茫茫忽忽，亦不覺晝夜。去十餘日，奄至一處，有城郭狀，屋舍甚嚴。遙望宮中多織婦，見一丈夫牽牛渚次飲之。牽牛人乃驚問曰：「何由至此？」此人具說來意，并問此是何處？答曰：「君還至蜀郡訪嚴君平則知之。」竟不上岸，因還如期。後至蜀，問君平，曰：「某年日月有客星犯牽牛宿。」計年月，正是此人到天河時也㊿。不言織女贈搘機石事，義山首句云「海客乘槎」，結句又云「聊用搘機石贈君」，蓋合二事而兼用之。尋其詩旨，亦比體之作。馮浩從程夢星之說繫此詩於大中元年，時在桂管觀察使鄭亞幕。謂「海客」比鄭亞，「星娥」自比，「支機石」喻己之文采，「牽牛」比令狐綯㊁。張爾田則訂此詩爲大中二年在徐幕時作，而以「海客」比盧弘止㊂。說雖不同，而其以此詩爲籍神仙喻人事之作則殊無二致也。

又如《瑤池》詩云：

瑤池阿母綺窗開，黃竹歌聲動地哀。
八駿日行三萬里，穆王何事不重來。

案《穆天子傳》言周穆王賓於西王母，天子觴西王母於瑤池。西王母爲天子謠曰：「白雲在天，山陵自出。道里悠遠，山川間之。將子無死，尚能復來。」天子答之曰：「予歸東土，和治諸夏。萬民平均，吾顧見汝。比及三年，將復而野㊂。」義山《瑤池》詩即據此而生發，首句寫王母倚綺窗而佇望，候穆王而不至。次句寫黃竹哀歌聲動天地，暗示穆王之已死。三、四兩句則寫王母心中所疑，言穆王所乘八駿日行千里，今以何故竟不重來。足見王母非但不能佑穆王使長生，且並穆王已死亦懵然不知。諦審通篇之意，顯然旨在刺神仙之虛幻。程夢星以爲托諷武宗，其言曰：「此追歎武宗之崩也。武宗好仙，又好遊獵，又寵王才人，此詩鎔鑄其事而出之，只周穆王一事足概武宗三端，用思最深，措辭最巧㊃。」蓋爲近是。本文以此詩之所據，爲《穆天子傳》所載之神話，故列之遊仙；亦有因穆王爲西周實有之帝王，故歸此詩爲詠史者，則屬借古喻今之作，其爲比體則一也。

四、結語

李義山工於比興，其比體詩之大概已舉例說之如上。比體詩或以物喻人，或以古喻今，或以艷情喻主臣師友，或以神仙喻人事，旨在避免直說，不犯正位，而達到含蓄蘊藉或所謂「言之可無罪，而聞之者足以動(六四)」之效果，其源出於《風》、《騷》，本爲詩人製辭手段之一，有其正面之價值。然利之所在，弊亦隨之，專用比興，其患在本意難明，鍾嶸云：

> 若專用比興，則患在意深，意深則詞躓。若專用賦體，則患在意浮，意浮則文散。嬉成流移，文無止泊，有蕪漫之累矣(六五)。

此言良是。義山作詩好用比興，蓋亦不能免於意深之患，所以元遺山《論論絕句》有「獨恨無人坐鄭箋》之嘆。坐是之故，義山詩往往說解分歧，是非難定，同一《錦瑟》也，而或以爲「錦瑟」乃當時貴人愛姬之名，義山因以寓意(六六)；或以爲錦瑟之爲器，其絃五十，中間四句乃形容其適、怨、清、和之聲(六七)；或以爲悼亡之作(六八)；或以爲自傷之詞(六九)。同一《嫦娥》也，而以爲藉嫦娥以喻所思之人(七〇)，或以爲刺女道士之辭(七一)，或以爲悼亡之作(七二)，或以爲自比有才反致流落不偶(七三)，或以爲爲子直陳情不省而發，嫦娥偸藥借比一婚王氏，空使我一生懸望，好合無期(七四)。異說分陳，莫可究詰。雖然，結合李義山生平及相關史料，排除其中絕不可通之說，然後準情度理，擇善而從，亦讀義山詩之一法也。故不惴鄙陋，撰成此文，以爲賢者之擇。

【附註】

㈠見《詩大序》。又《周禮·春官》大師：「教六詩：曰風，曰賦，曰比，曰興，曰雅，曰頌。」

㈡鄭玄云：「賦之言鋪，直鋪陳今之政教善惡。」其說不誤，見《周禮·春官》大師《注》。

㈢鄭司農云：「比者比方於物，諸言如者皆比辭也。」又朱熹云：「（比者）以彼物比此物也。」二家之詮解大體不誤，然比含暗喻一類，則並「如」、「似」、「若」等譬喻語辭皆省去之，故鄭司農所舉之例猶未周延。鄭說見《詩大序》孔穎達《正義》引，朱熹說見《周南·螽斯》《集傳》。

㈣劉勰云：「《詩文弘奧，包韞六義，毛公述傳，獨標興體，豈不以風通而賦同，比顯而興隱哉！」說見《文心雕龍·比興第三十六》。

㈤見《詩大序》孔穎達《正義》。

㈥見《詩大序》《正義》。

㈦此點可參見黃春貴《文心雕龍之創作論》第二章第一節。

㈧此點可參見程俊英《詩經的比興》一文，載《文學評論叢刊》第一輯。

㈨見上海古籍出版社《清詩話續編》本三七六頁。

㈩《舊唐書》本傳云：「商隱幼能為文，令狐楚鎮河陽，以所業干之，年纔及弱冠，楚以其少俊，深禮之，令與諸子遊。」又辛文房《唐才子傳》云：「商隱字義山，懷州人也。令狐楚奇其才，使遊門下，授以文法，遇之甚厚。」案馮浩《玉谿生年譜》及張爾田《玉谿生年譜會箋》並定義山受知令狐楚之時為太和三年，其年三月，令狐楚檢校兵部尚書、東都留守、東畿汝都防禦使。故張氏疑《舊唐書》本傳之「河陽」爲「河南」之訛。

⑪《新唐書》本傳云：「開成二年高鍇知貢擧，令狐綯雅善鍇，奬譽甚力，故擢進士第。」而《唐才子傳》云：「開成二年高鍇知貢擧，楚與鍇善，奬譽甚力，遂擢進士。」二說不同，今從《新唐書》。

⑫繆鉞曰：「李義山蓋靈心善感，一往情深，而不能自遣者。方諸曩哲，極似屈原。昔之論詩者，謂吾國古人之詩，或出於《莊》，或出於《騷》，出於《騷》者爲正，出於《莊》者爲變。斯言頗有所見。蓋詩以情爲主，故詩人皆深於哀樂，然同爲深於哀樂，而又有兩種殊異之方式，一爲入而能出，一爲往而不返，入而能出者超曠，往而不返者纏綿，莊子與屈原恰好爲此兩種人之代表。……李義山之心情，苟加以探析，殆極近屈原。「春蠶到死絲方盡，蠟炬成灰淚始乾。」此義山自道之辭，亦即屈原之心理狀態。故就此點而論，李義山固爲中國文學史上正宗之詩人也。」其說甚精，參見其《論李義山詩》一文，收開明版《詩詞散論》五十七至六十七頁。

⑬此用竹林七賢之事。

⑭少林寺有武則天所封三品松及五品槐，故白香山《從龍潭寺至少林寺》詩云：「九龍潭月落杯酒，三品松風飄管絃。」

⑮《南史·張緒傳》云：「劉悛之爲益州，獻蜀柳數株，枝條甚長，狀若絲縷。時舊宮芳林苑始成，武帝以植於太昌靈和殿前，常賞玩咨嗟，曰：『此楊柳風梳可愛，似張緒當年時。』其見賞愛如此。」

⑯見里仁版《玉谿生詩集箋注》一四九頁。

⑰同註⑯。

⑱見廣文版《李義山詩集箋注》三二四頁。

⑲參劉學鍇及余恕誠說，見中華書局版《李商隱詩歌集解》三五四頁。

⑳見里仁版《玉谿生詩集箋注》二〇八頁。

㉑見中華版《玉谿生年譜會箋》九八及九九頁。

㉒詩云：「何曾解報稻粱恩，金距花冠氣遏雲。白日梟鳴無意問，惟將芥羽害同群。」

㉓見《玉谿詩箋舉例》，載《中華文史論叢》第四輯。

㉔《舊唐書》作盧弘正，《新唐書》作盧弘止。《通鑑考異》云：「《實錄》作弘止。」今從之。

㉕張爾田論此詩云：「起四句暗托令狐屢啓陳情不省，有神無跡，眞絕跡也。非細心不能味之。」其說甚碻。見中華版《李義山詩辨正》二七五頁。

㉖施補華曰：「《三百篇》比興爲多，唐人猶得此意。同一詠蟬，虞世南「居高聲自遠，端不藉秋風」，是清華人語；駱賓王「露重飛難進，風多響易沈」，是患難人語；李商隱：「本以高難飽，徒勞恨費聲」，是牢騷人語，比興不同如此。」見《峴傭說詩》，明倫版《清詩話》九七四頁。

㉗黃季剛云：「此詩義山以自喻其身世，末二句與《崇讓宅紫薇》意正相類。」其說是，見學海版《李義山詩偶評》二十六頁。

㉘馮浩《玉谿生年譜》及張爾田《玉谿生年譜會箋》並繫此詩於大中三年。

㉙見《詩品》卷上。

㉚見《古詩賞析》卷十。

㉛徐逢源、馮浩皆同此說，見里仁版《玉谿生詩集箋注》一〇頁。

㉜黃季剛主此說，見學海版《李義山詩偶評》二十一頁。

㉝張爾田云：「細玩詩意，但詠勳閥，非指帝王家也。」見中華版《玉谿生年譜會箋》一九九頁。

㉞程說見廣文版《李義山詩集箋注》二五〇頁；徐、馮二說見里仁版《玉谿生詩集箋注》十五頁。

㉟朱說見學生版《李義山詩集》三〇六頁，姚說見中文版《李義山詩集箋注》三三一頁，屈說見正大版《玉谿生詩意》二八六頁，馮說見里仁版《玉谿生詩集箋注》二六五頁，張說見中華版《玉谿生年譜會箋》一一五頁。

㊱馮浩《玉谿生年譜》及張爾田《玉谿生年譜會箋》並繫此詩於會昌六年。

㊲見上海古籍版《樊南文集》四四一頁。

㊳見上海古籍版《樊南文集》四二六頁。

㊴見正大版《玉谿生詩意》三六頁。此外，吳喬、馮浩及張爾田亦有類似之說，吳說見《西崑發微》卷上，馮說見里仁版《玉谿生詩集箋注》二一頁，張說見中華版《玉谿生年譜會箋》二〇頁。

㊵此參用劉學鍇及余恕誠說，見中華版《李商隱詩歌集解》。

㊶見劉學鍇及余恕誠《李商隱詩歌集解》引。

㊷同註㊶。

㊸見張溥輯《郭弘農集》及丁福保輯《全晉詩》。逯欽立增輯殘句爲十九首。

㊹見《詩品》卷中。

㊺見《文選》卷二十一《注》。

㊻此從張爾田說，見中華版《玉谿生年譜會箋》一九三頁。

(四七)見王若虛《滹南詩話》卷三引蕭閑語。

(四八)馮浩云：「『淪謫』二字，一篇之眼，義山自慨由秘省清資而久斥外也。」此說甚是，見里仁版《玉谿生詩集箋注》三七一頁。

(四九)見卷一。

(五〇)見卷十。

(五一)見里仁版《玉谿生詩集箋注》二八〇頁。

(五二)見中華版《玉谿生年譜會箋》一六八頁。

(五三)見卷三。

(五四)見廣文版《李義山詩集箋注》三九三頁。

(五五)朱鶴齡語，已見前引。

(五六)見《苕溪漁隱叢話前集》卷二十二引劉貢父說。

(五七)見《苕溪漁隱叢話前集》卷二十二引蘇東坡說。

(五八)見《李義山詩集輯評》引朱彝尊說。

(五九)見《李義山詩集輯評》引何義門說。

(六〇)屈復說，見正大版《玉谿生詩意》四四〇頁。

(六一)程夢星說，見廣文版《李義山詩集箋注》四七三頁。

(六二)紀昀說，見《李義山詩集輯評》引。

㊅何義門說，見《李義山詩集輯評》引。

㊃張爾田說，見中華版《玉谿生年譜會箋》所附《辨正》三九八頁。

參考書目

壹、專著

《李義山詩集輯評》　朱鶴齡箋注、沈厚塽輯評　學生書局
《李義山詩集箋注》　姚培謙箋注　中文出版社
《李義山詩集箋注》　程夢星箋注　廣文書局
《玉谿生詩集箋注》　馮浩箋注　里仁書局
《玉谿生詩意》　屈復　正大印書館
《西崑發微》　吳喬　借月山房彙鈔本　藝文印書館
《李義山詩解》　陸崑曾　學海出版社
《玉谿生詩說》　紀昀　藝文印書館
《李義山詩偶評》　黃侃　學海出版社
《李義山詩辨正》　張爾田　《玉谿生年譜會箋》附錄　中華書局

《李商隱評論》　顧翊群　中華詩苑
《李商隱和他的詩》　朱偰等　學生書局
《玉谿詩謎》　蘇雪林　商務印書館
《李義山詩析論》　張淑香　藝文印書館
《李商隱研究》　吳調公　上海古籍出版社
《李商隱詩論稿》　藍于　中華書局
《李商隱詩研究》　黃盛雄　文史哲出版社
《李商隱詩箋辭方法論》　顏崑陽　學生書局
《李商隱詩集箋注》　葉蔥奇　里仁書局
《李商隱詩歌集解》　劉學鍇、余恕誠　中華書局
《李商隱評傳》　楊柳　木鐸出版社
《樊南文集》　馮浩詳注　上海古籍出版社
《樊南文集補論》　錢振倫、錢振常箋注　上海古籍出版社
《玉谿生年譜會箋》　張爾田　中華書局
《玉谿生年譜會箋質疑》　岑仲勉　《玉谿生年譜會箋》附錄　中華書局
《舊唐書》　劉昫等　鼎文書局

《新唐書》 歐陽修等 鼎文書局
《資治通鑑》 司馬光 世界書局
《通鑑隋唐紀比事質疑》 岑仲勉 九思出版社
《唐會要》 王溥 世界書局
《唐六典》 《四庫全書》本 商務印書館
《文獻通考》 馬端臨 新興書局
《登科記考》 徐松 中華書局
《讀史方輿紀要》 顧祖禹 樂天書局
《唐人行第錄》 岑仲勉 九思出版社
《唐史餘瀋》 岑仲勉 弘文館出版社
《唐集質疑》 岑仲勉 《唐人行第錄》附錄 九思出版社
《唐僕尙丞郎表》 嚴耕望 中研院史語所
《唐摭言》 王定保 世界書局
《唐語林》 王讜 世界書局
《唐國史補》 李肇 世界書局
《雲溪友議》 范攄 世界書局

《酉陽雜俎》　段成式　源流出版社
《春明退朝錄》　宋敏求　《百川學海》本　藝文印書館
《夢溪筆談》　沈括　世界書局
《長安志》　宋敏求　《經訓堂叢書》本　藝文印書館
《太平廣記》　李昉　新興書局
《毛詩正義》　孔穎達　藝文印書館
《楚辭集注》　朱熹　藝文印書館
《全唐詩》　清聖祖敕定　文史哲出版社
《唐詩紀事》　許有功　中華書局
《全唐文》　董誥等奉敕編　文友書局
《唐才子傳》　辛文房　文津出版社
《苕溪漁隱叢話》　胡仔　長安出版社
《詩人玉屑》　魏慶之　九思出版社
《唐音癸籤》　胡震亨　木鐸出版社
《歷代詩話》　鍾嶸等　藝文印書館
《續歷代詩話》　孟棨等　藝文印書館

《清詩話》　王夫之等　明倫出版社
《清詩話續編》　毛先舒等　上海古籍出版社
《百種詩話類編》　臺師靜農主編　藝文印書館
《石遺室詩話》　陳衍　商務印書館
《詩言志辨》　朱自清　開明書店
《談藝錄》　錢鍾書　學海出版社
《寥音閣詩話》　俞大綱　《俞大綱全集》本　幼獅文化事業有限公司

貳、單篇論文

《論李義山詩》　繆鉞　《詩詞散論》所收　開明書店
《李商穩詩之淵源及其發展》　勞榦　《幼獅學報》一卷二期
《李商隱詩探微》　孫甄陶　《新亞學報》四卷二期
《李商隱之詩及其風節》　曾克耑　《文學世界》二十五期
《論李義山詩》　金達凱　《民主評論》十二卷二十三期
《李商隱詩評析》　劉若愚　《清華學報》七卷二期
《義山詩的傷時與自傷》　孫克寬　《東方雜誌》三卷九期
《試論義山詩》　呂興昌　《中國古典文學研究叢刊》詩歌之部㈡

〈李義山其人其詩〉　宜珊　《今日中國》十七期

〈李商隱的第一首詩〉　芷園　《中國語文》四十卷四期

〈讀玉谿生詩劄記〉　龔鵬程　《中華詩學》十四卷三期

〈李義山政治詩摘箋〉　高越天　《中國詩季刊》五卷二期

〈李商隱的詠史詩〉　方瑜　《中外文學》五卷一、二期

〈論「象外象、景外景」兼談晚唐二李詩〉　陳曉薔　《現代學苑》一卷二期

〈李商隱詩中的視覺意象〉　姚一葦　《中華文化復興月刊》四卷五期

〈李商隱詩的境界〉　劉若愚著、方瑜譯　《幼獅》三十七卷一期

〈自月意象的嬗變論李義山的月世界〉　陳器文　《中外文學》五卷二期

〈比較與翻案——論義山七律末聯的深一層法〉　陳文華　《中國文化復興月刊》十一卷二期

〈從美感經驗說試探義山詩〉　歐陽炯　《大陸雜誌》六十六卷二期

〈從義山「嫦娥」詩談起〉　葉嘉瑩　《大陸雜誌》三卷四期

〈從「落花詩」談李商隱凄迷的身世〉　汪師雨盦　《華文世界》六期

〈李商隱戀愛事跡考辨〉　陳貽焮　《文史》第六輯

〈李商隱與牛李黨爭〉　李中華　《文史》第十七輯

〈李商隱江鄉之游考辨〉　葛曉音　《文史》第十七輯

柒、李商隱之比體詩

捌、論李義山之無題詩

一

古人作詩往往先有詩然後定題目，李義山《李賀小傳》敘述李賀作詩的情形，有如下的一段話：

> 恆從小奚奴，騎距驢，背一古破錦囊，遇有所得，即書囊中。及暮歸，太夫人使婢受囊出之，見所書多，輒曰：「是兒要當嘔出心乃已爾！」上燈，與食，長吉從婢取書，研墨疊紙足成之，投他囊中。非大醉及弔喪日率如此。

據此。李賀作詩是先有句然後足成篇章，像他這種情形，當然不可能先定題目。其他詩人未必如李賀之苦吟，但詩作成後再斟酌確定題目，恐無異致。先定題目然後作詩的情形不能說沒有，但必定比較少見，所以依據既定題目作詩，古人例在題目上加「賦得」二字，如梁元帝有《賦得涉江宋芙蓉》，庾信有《賦得荷》、白居易有《賦得古原草送別》是。後世「賦得」遂成爲科舉取士之一體，即命題作詩之謂。臣工奉皇帝之命詠特定題材或依既定題目作詩，則往往在題目上加「應令」或「應制」等字，如蕭繹有《春別應令四首》、王維有《三日三日曲江侍宴應制》等是。至於文士依樂府舊題創作新辭，即沿用樂府古題爲題；或文士聚會，命題同詠。如此之類，當又是另一種情況。

以上說的是一般文士作詩的情形，若民間歌謠則但期宣洩心聲，重在美刺，原先往往沒有題目，其有題目者多爲後人所加。而後人爲這類歌謠安排題目，也多是取其首句，或是首句中之數字，前者如《詩·召南》之《殷其雷》、《摽有梅》，後者如《詩·周南》之《關雎》、《葛覃》，整部《詩經》皆是如此。而漢代樂府古辭如《江南》、《烏生》、《戰城南》、《有所思》、《上邪》等，亦皆屬此類。此類詩歌，事實上有題等於無題，其取首句或摘取首句中之數字爲題，只是爲了便於指稱而已。由於有這種先例在，後世文人作詩，遂也有不別製題，逕仿《詩經》及樂府古辭之例，以首句或摘取首句中之數字爲題者，如陸機之《遨遊出西城》、李益之《行舟》七絕是。而李義山詩中若此之例更是不少，如《東南》、《鈞天》、《玉山》、《如有》、《一片》、《高於》、《爲有》、《人欲》、《日射》、《日日》等，皆屬此類。

義山詩中另有一類題作《無題》之詩，此類詩名爲《無題》，其實有題，《無題》二字即是題。在義山之前或同時，以《無題》爲題，見於《全唐詩》者凡有三例，一爲錢起的《江行無題一百首》㊀，另外盧綸與李德裕各有一首㊁，錢起的《江行無題一百首》皆寫江行之事，「江行」二字即是其總題，「江行」下別出「無題」二字，其意似謂除總題外，個別詩不另標題目，則其所謂「無題」是眞的沒有題目，可置不論。盧綸的一首是七律，第七句缺，詩云：「恥將名利託交親，只向尊前樂此身。才大不應成滯客，時危且喜是閒人。高歌猶愛思歸引，醉語惟誇漉酒巾。□□□□□□□，豈能偏遣老風塵。」內容係抒發懷才不遇之感慨及牢騷。李德裕一首爲五絕，詩云：「松倚蒼崖老，蘭臨碧洞衰。不勞鄰舍笛，吹起舊時悲。」內容係抒寫年華遲暮之傷悲，二詩辭意皆與艷情無涉。但李義山之《無題》詩則均爲艷體，所不同的是部份爲實有本事，部份爲別有託寓之作，如是而已。

二

李義山集中之「無題」詩，據相傳舊本，共有十六首㊂，其中五古及七古各一首，五律四首，七律七首，七絕三首。此十六首《無題》詩中，有經後人竄亂者，而其原作《無題》之詩在作法上亦有比與賦之不同，賦者直陳本事，比者以彼況此，紀昀說：

《無題》諸詩有確有寄託者，「來是空言去絕蹤」之類是也；有戲爲艷體者，「近知名阿侯」之類是也，有實有本事者，如「昨夜星辰昨夜風」之類是也；有失去本題而後人題曰《無題》者，如「萬里風波一葉舟」之類是也；有與《無題》詩相連，失去本題誤合爲一者，如此「幽人不倦賞」是也，宜分別觀之㊃。

其說至爲通達周治，下文即依紀氏之說將義山《無題》詩試作歸類，並略加以詮解。

一、實有本事之作

(一)

相見時難別亦難，東風無力百花殘。

春蠶到死絲方盡，蠟炬成灰淚始乾。
曉鏡但愁雲鬢改，夜吟應覺月光寒。
蓬山此去無多路，青鳥殷勤爲探看。

此詩首聯上句的「別亦難」，是說別情難堪，用以凸顯「相見時難」的憾恨；下句東風無力，百花凋殘，點明時間，爲三句「春蠶」伏線。頷聯從自己方面說，上句「絲」諧音「思」，下句以蠟淚雙關眼淚。思念的情緒如春蠶吐絲，到死方盡；恨別的眼淚如蠟炬流液，成灰始乾。寫出自己對對方之一往情深，極爲纏綿。腹聯從對方設想，「但愁」、「應覺」皆是揣測語氣，清晨對鏡，悲雲鬢改變；深夜獨吟，覺月光寒冷。唯其相愛之深，靈犀相通，故能體貼入深。結聯以「蓬山」借喻對方之住處，謂對方所居不遠，希望藉青鳥傳書，表達自己對對方的殷勤情意。

此詩舊注大都以爲是有所寄託之作，而寓意的對象有的明言令狐綯，如張爾田云：

此徐府初罷，寓意子直（按：令狐綯字子直）之作。「春蠶」二句，即諺所謂「不到黃河心不死」之意。結言此去京師，誓探其意旨之所向也㈤。

有的雖未明言，但意下當指令狐綯則甚明確，如馮浩云：

首言相晤爲難，光陰易逝。次言己之愁思，畢生以之，終不忍絕。五言惟愁歲不我與，六謂長此孤冷之態。末句則未審其意旨究何如也。此段（按：指大中三年）諸詩，寓意皆相類㈥。

然依此種說法，則有下列問題存在；

1.詩之首句云「相見時難別亦難」，玩索詩意，應是義山與對方兩情相悅，但為客觀形勢所限制，不能常相見面。由其不能常相見面，故對見面之機會倍覺珍惜，離別時總是難分難捨。義山開成三年娶王茂元之女，不見諒於令狐綯，自是以後，兩人之關係即貌合神離。雖義山屢有陳情，但令狐綯之回應一直相當冷淡，所謂「一杯春露冷如冰」（《謁山》）應是紀實之言，而此詩首句所描寫的則是兩人的同病同憐，施諸於令狐綯，實為不類。同持此說的汪辟疆似亦覺察此點，故特別強調「別亦難」之「別」字，乃決別之別，非離別之別㈦。然在此句，「別」字與「相見」相對，解為決別，於意為不順，是其說之不可用。此其一。

2.此詩腹聯云「曉鏡但愁雲鬢改，夜吟應覺月光寒」，係就對方設想之辭，有愁青春衰謝，感獨居寂寥意。而令狐綯自開成五年服闋為左補闕史館修撰以來，宦途一直相當順遂，尤其大中年間十年為相，位勢顯赫。此詩腹聯施諸令狐綯或任何所欲陳情之朝廷有力人士，均是不類。馮浩大約也覺得此兩句與令狐綯之勢位不合，故解此兩句為「五言惟愁歲不我與，六謂長此孤冷之態」，仍就義山身上說。今依辭意研判「曉鏡」句較為中性，似施諸彼此均無不可，但「應覺」為揣想之辭極為明確，則「夜吟」之句當斥對方無疑。既然如此，「曉鏡」句亦當同斥對方，因此詩二、四句明係義山自陳，若「曉鏡」句亦為義山自陳，則頷、腹兩聯中三句自陳，一句斥對方，畸零不整，律詩似無此章法。此其二。

據以上兩點，知前人認為此詩之作為寓意令狐綯，說實不可通，故本文將此詩歸類為實有本事之作。至其事之發生爲何時，對象爲何人，雖不能詳考，但義山與對方之間必有一段纏綿之愛情當可確定。

㈡

昨夜星辰昨夜風，畫樓西畔桂堂東。
身無彩鳳雙飛翼，心有靈犀一點通。
隔座送鉤春酒暖，分曹射覆蠟燈紅。
嗟余聽鼓應官去，走馬蘭臺似轉蓬。

㈢

聞道閶門萼綠華，昔年相望抵天涯。
豈知一夜秦樓客，偷看吳王苑內花。

以上二詩爲一組，一首爲七律，一首爲七絕，原題作《無題二首》。連章詩往往性質相同，故多可彼此互證，以此詩之次首觀之，詩中有「一夜秦樓客」及「偷看吳王苑內花」之語，必是實有本事之作，而前人如吳喬、程夢星、汪辟疆等說此詩以爲託意遇合者不可從㈧。胡以梅云：

此章本集內二首，其二曰（略），則席上本有萼綠華其八，於吳王苑中偷看之而感情耳，已有注腳。若後「來是空言」章，集中四首，其四有「東家老女嫁不售」，則已注明前三首爲思遇合矣㈨。

其說甚是。前首爲追憶前夜親身參加宴會因而邂逅生情之狀，首聯點明時間與地點，而詩中用「畫樓」及「桂堂」等字眼，可知主人爲閥閱之家。星辰好風，則渲染良夜氣氛。次聯謂二人雖身不能效彩翼之雙飛，而彼此則心已相悅相惜，如靈犀之相通。三聯隔座送鉤，春酒溫暖，分曹射覆，蠟燭搖紅，極寫宴會熱鬧之情形，而彼此之心許默會，眉目傳情，可想見於言外。結聯則晨鼓催人，自嘆必須走馬應官，不能久留。後章首句是久聞其聲名，「萼綠華」本爲仙女，今以借指其人。次句則咫尺天涯之恨。三、四句自幸昨夜有此機緣得親芳澤，與前首照應，「偷看」二字不可泥。

此二詩之成詩背景，據詩中所留線索，似有兩點可得而言：

1. 詩中有「聽鼓應官」及「走馬蘭臺」等語，「蘭臺」爲秘書省之稱，則此組詩當成於義山任職秘書之時。考義山任職秘書，一爲開成四年釋褐爲秘書省校書郎，旋外調爲弘農尉；一爲會昌二年授秘書省正字，旋丁母憂；一爲會昌五年服闋重官秘書省正字迄六年，則此二詩之作，必不出開成二年春、會昌二年春、會昌六年春三段時間，故馮浩繫此二詩於開成二年㊀，張爾田繫此二詩於會昌二年㊁，雖均乏顯證，卻都有可能。

2. 據詩中有「畫樓」、「桂堂」及「閶門」、「吳王」等語，則當時義山於宴會中邂逅有情之對象雖不必如馮浩之泥指爲王茂元之後房姬妾㊂，但必爲顯貴人家之女春，此點當可確定。

二、別有託寓之作

㈠

八歲偷照鏡，長眉已能畫。
十歲去踏青，芙蓉作裙衩。
十二學彈箏，銀甲不曾卸。
十四藏六親，懸知猶未嫁。
十五泣春風，背面鞦韆下。

此詩寫一位早熟少女之生長過程，從八歲、十歲、十二歲、十四歲到十五歲，每歲各寫兩句，照鏡畫眉，芙蓉爲裙，是八歲、十歲之事，可見此少女自小即懂得修飾容貌。學彈箏而不卸銀甲，則其習藝之專心可知。最後兩句是一篇主旨，十五歲已是可以議婚年齡，可是媒妁渺無消息，前途未卜，令人憂傷煩悶，故當春光駘蕩時獨自在鞦韆下掩泣。

程夢星認爲此詩係別有寓託之作，他說：

「十五」二句寫聰明女郎省事太早，而幽怨隨之。才士之少年不遇，亦可嘆也。

馮浩及張爾田等亦有近似之說法，馮浩並定此詩爲唐文宗太和二年義山初應舉時所作，張爾田則將此詩之作成時間更提前一年，定爲太和元年。二家皆引義山之《上崔華州書》及《樊南甲集叙》爲證。按義山《上崔華州書》云：「五年讀經書，七年弄筆硯。」又《樊南甲集敘》云：「樊南生十六能著《才論》、《聖論》，以古文出諸公間」。據此知義山早慧，與此詩中少女之早熟情況相合，其《上崔華州書》中之「五年」、「七年」云云，與此詩之寫法亦復相似，然則諸家以此詩爲義山自喻之作當不誤，詩爲義山早年之作亦可斷定，惟不能確指爲何年而已。馮浩繫太和二年，張爾田繫太和元年，均乏顯證。

(二)

照梁初有情，出水舊知名。
裙衩芙蓉小，釵茸翡翠輕。
錦長書鄭重，眉細恨分明。
莫近彈棊局，中心最不平。

此詩首聯言一少女有「照梁」、「出水」之美，其美豔早就遠近知名，新近則有感情之困擾。次聯芙蓉裙衩，翡翠釵茸，言其服飾之美，與首聯「照梁」、「出水」之爲容貌之美互相補足。腹聯承首聯之「初有情」，錦書鄭重，贏得的只是眉恨分明，可見其情感遭遇挫折，故逼出結聯「莫近彈棊局，中心最不平」二句，「中心不平」，一語雙關，既承七句之「彈棊局」而言，復承前六句之感情挫折而言，而尤以後者爲主。

此詩亦爲比體詩，詩中之少女亦即義山之自況，義山蓋以少女之初次戀愛比喻自己之初次求仕，以寄託自己博學宏詞不中選之不平，可與前揭「八歲偸照鏡」五古相參證。詩當爲開成三年作。馮浩、張爾田皆以此詩爲寄內之詩，馮浩云從首聯悟出，張爾田並云集中寄內詩皆晦其題，近人劉學鍇、余恕誠加以駁斥說：「馮說從首聯「照梁」、「出水」悟出，然二語本出《神女》、《洛神》二賦，不過借此形容女子姿容之艷麗，與新婚本無涉。即兼用何遜詩語，亦不必專指新婚女子。張襲馮說，謂李集寄內之作，皆晦其題，然以《無題》爲寄內詩者，尙無其例。」駁得不錯，故不從。

(三)

白道縈迴入暮霞，斑騅嘶斷七香車。
春風自共何人笑，枉破陽城十萬家。

此詩首二句言女子乘七香車於暮色蒼茫中循縈迴之白道疾馳而去，「斑騅嘶斷」正形容車之疾馳而過。次二寫此女子不見賞識，寂寞無主，則其具有傾城之色亦只是徒然而已。「春風自共何人笑」，即曹子建《雜詩》「時俗薄朱顏，誰爲發皓齒」之意，「春風」爲「春風面」之省，其用法如王安石《明妃曲》「淚濕春風鬢腳垂」。然則此詩蓋亦義山自傷身世之作，程夢星云：

此亦感懷之作。比之美女空駕七香之車，人縱冶遊，皆入暮霞而去。春風倚笑，卻共何人？迷惑陽城，枉生顏色。蓋溫飛卿「枉拋心力作詞人」之義也(六)

其說大體不誤，今依其說，類歸於此。

(四)

紫府仙人號寶燈，雲漿未飲結成冰。
如何雪月交光夜，更在瑤臺十二層。

據此詩結句有「瑤臺」之辭，則首句所謂「紫府仙人」乃是女仙，「寶燈」之號亦只是寓言而已。雲漿未飲，已結成冰，可見未曾款接。雪月交光之夜，更在瑤臺十二層，則更是可望不可即，距離愈來愈遠。詳味此詩意旨，似著重在描寫心中某種難以追攀之情景，雖未必定為寓意令狐綯如馮浩所說㊆，而義山此詩別有託寄蓋可確定，劉學鍇及余恕誠引阮籍《詠懷》第十九「西方有美人」之章，以為意境相似㊇，可參。

(五)

鳳尾香羅薄幾重，碧文圓頂夜深縫。
扇裁月魄羞難掩，車走雷聲語未通。
曾是寂寥金燼暗，斷無消息石榴紅。
斑騅只繫垂楊岸，何處西南待好風。

(六)

重幃深下莫愁堂，臥後清宵細細長。
神女生涯原是夢，小姑居處本無郎。
風波不信菱枝弱，月露誰教桂葉香。

直道相思了無益，未妨惆悵是清狂。

以上二首七律爲一組，題作《無題二首》。前章首聯說夜深就寢了，圓頂而有鳳尾碧文之床帳垂了下來。這兩句是寫眼前之事，頷聯以下都是寫詩中主角之心事。三、四兩句說強顏來見卻無機會接談，「扇裁月魄」是想以團扇遮羞，「車走雷聲」是形容車聲。五、六兩句說歷經多少寂寥時光，如今石榴花開，又是春天，而迄無佳訊。七、八兩句用南朝樂府《神弦歌》「陸郎騎斑騅」的典，說陸郎所騎的斑騅只繫在垂楊岸邊，則陸郎即在近邊，故望有西南好風相助，使己能與他會合。後章的結構與前章相同，也是首聯寫眼前之事，頷聯以下寫詩中主角之心事。首聯說夜晚莫愁臥床就寢，但心事起伏，不能入眠。頷聯說神女遇合，原是夢境，如今自己猶是獨居無偶。腹聯說菱枝本弱，風波卻不理會，仍然恣意加以播蕩摧折，桂葉含芳，卻無月露滋潤使之飄香。這兩句顯然是假菱枝與桂葉寄託身世之感慨。最後兩句總結，說即使相思無益，自己仍然終抱痴情，甘領惆悵，強調自己眷眷不能自捨之意。

以上二詩，前賢如陸崑曾、馮浩、張爾田、汪辟疆等皆認爲是比體，別有託寓，陸崑曾說：

按本傳：「令狐綯作相，商隱屢啓陳情，綯不之省。」二詩疑爲綯發，因不便明言，而託爲男女之詞，此《風》《騷》遺意也㊈。

馮浩更進一步認爲此詩是大中五年義山應柳仲郢之徵即將前往東川時之作品，馮氏說：

將赴東川，往別令狐，留宿而有悲歌之作也。首作起二句衾帳之具，三句自慚，四句令狐乍歸，尚未相見。五六喻心跡不明而歡會絕望。七八言將遠行，「垂楊岸」寓柳姓，「西南」指蜀地⑳。

按諸家以此二詩爲寓意令狐綯之作品，詳玩詩意，蓋爲近是，尤以次首比興之意更爲明顯，近人劉學鍇及余恕誠說：

> 後者（按指次章）雖亦云「相思無益」，然實以抒寫身世遭逢之感爲主，且筆意空靈概括，多用比興，託寓痕跡較爲顯明。頷、腹二聯，敘身世遭遇，意寓言外。頷聯與《重過聖女祠》「一春夢雨常飄瓦，盡日靈風不滿旗」一聯相彷彿，而寓意更顯。聯繫作者身世，則輾轉相依，迄無所托，遇合如夢，身世羈孤之情固不難意會。腹聯如實寫女子遭遇，則意蘊虛涵，不易捉摸，「風波」「月露」所指，亦費猜詳。而從比興寄託著眼，則易於理解。義山淪賤艱虞，「內無強近，外乏因依」（《祭徐氏姊文》），仕途坎坷，屢遭朋黨勢力摧抑，而未遇有力援助，故借菱枝遭風波摧折，桂葉無月露飄香寄慨。《深宮》詩託宮怨以致慨，「狂飆」一聯（按指「狂飆不惜蘿陰薄，清露偏知桂葉濃」二句），「一彼一此，腴枯頓別」；此則託閨怨以致慨，「月露」句與「清露」句取義雖異，其爲託寓身世遭逢之感則同。何焯謂此首「直露本意」，可稱知言。要之，作直賦其事解則意晦，作比興託寓解意反顯，最足以說明此詩之寄託性質㉑。

劉氏及余氏之說極爲通洽圓融，故不憚煩而詳引之。既然後章爲比體之作，則前章亦應爲比體，庶合連章之習慣。不容一爲比體，一爲賦體，自相剌謬。但如馮氏以「楊柳岸」寓柳姓，以「西南」指東川，從而定此詩爲大中五年將從柳仲郢時所作，則失之太鑿，結聯申言咫尺天涯之恨，冀幸好風之相助，意甚明豁，馮氏顯然誤會。曹子建《怨詩行》云：「君若淸路塵，妾若濁水泥。浮沈各異勢，會合何時諧？願爲西南風，長逝入君懷。君懷良不開，賤妾當何依？」義山此詩結聯實從此化出，子建之詩爲寓意魏文之作㉓，義山此詩之爲比體，此亦爲一項線索。

(七)

來是空言去絕蹤，月斜樓上五更鐘。
夢爲遠別啼難喚，書被催成墨未濃。
蠟照半籠金翡翠，麝熏微度繡芙蓉。
劉郎已恨蓬山遠，更隔蓬山一萬重。

(八)

颯颯東風細雨來，芙蓉塘外有輕雷。
金蟾齧鎖燒香入，玉虎牽絲汲井迴。
賈氏窺簾韓掾少，宓妃留枕魏王才。
春心莫共花爭發，一寸相思一寸灰。

(九)

含情春晼晚，暫見夜闌干。
樓響將登怯，簾烘欲過難。
多羞釵上燕，眞愧鏡中鸞。
歸去橫塘晚，華星照寶鞍。

(十)

何處哀箏隨急管，櫻花永巷垂楊岸。
東家老女嫁不售，白日當天三月半。
溧陽公主年十四，清明暖後同牆看。
歸來展轉到五更，梁間燕子聞長歎。

以上四首詩爲一組，題爲《無題四首》，其中第一、二首爲七律，第三首爲五律，第四首爲七古。首章以「來是空言去絕蹤」爲主幹，通篇反覆皆發揮此意，樓上月斜，五更鐘動，暗示一夜相思，輾轉不眠。頷聯恍惚成寐，又夢爲遠別，令人悲思難抑，故起而作書，由心意之急不覺草書之促，故墨色未濃。腹聯蠟照半籠，是燈光已淡；麝香微度，是香氣漸消，這是進一步描寫夜將盡而天欲明，以與首聯下句相照應。結聯說劉郎已恨蓬山遙望，況己與對方更隔萬重蓬山，則極嘆阻隔之難越，欲相隨而無從。次章首聯從東風細雨引出輕雷，而所謂輕雷又非眞雷，乃是形容車聲。頷聯亦承首聯而足成其意，言其自外獨歸而已，未必眞有「汲井」與「燒香」之事。腹聯反用韓掾與魏王之事，言賈氏窺簾，以韓掾之少；宓妃留枕，因魏王之才，而自傷無此機遇。結聯相思成灰，則深歎相思之無益。三章首聯含情已久，暫見而未能交歡。頷聯上句是足將進而趦趄，下句是人可望而難即，有咫尺天涯之恨。腹聯是含羞抱愧之態，與「扇裁月魄羞難掩」可互證。結聯則言失意而歸，只有華星相送而已。四章首聯哀箏急管、櫻花永巷點時，次聯老女不售應是自喻，腹聯以溧陽公主年少得意爲對比，亦似有所指。結聯則極寫失意無聊之狀。

以上四詩以末章比意最明晰，詩中以貧家老女不售寓託自身淪落及遲暮之感，爲傳統詩家所習用，此詩尤與曹子建《美女篇》手法相近，彼詩亦比體也。至於溧陽公主則喻指貴族子弟之得意者。此詩爲比體之作既可確定，則前三章亦當是別有寓託之作，非直賦艷情。姚培謙云：

（四章）前四句，寓遲暮不遇之歎。「溧陽」二句，以逢時得志者相形。「歸來」二句，恐知己之終無其人也。讀之此首，前三章之寄託可知㉓。

此說甚是，因連章詩性質必相同。實際而言，在一組詩中穿插一首寄託較明顯之作品，藉以提醒讀者其餘作品亦皆「楚天雲雨盡堪疑」（《有感》）之類，恐是義山有意之安排，胡以梅云：

若後「來是空言」章，集中四首，其四有「東家老女嫁不售」，則已注明前三首爲思遇合矣㉔。

胡氏此言，似能得義山之用心。結合義山身世而言，則首章明己之一往情深，而怨彼之來僅空言，去更絕蹤。次章及三章乃強調咫尺天涯之感，似皆有求於人而不見諒之辭。然則前賢若徐德泓、馮浩、張爾田等並以此諸詩爲寓意令狐綯之作㊸，似爲近是。總之，此類《無題》大抵感懷託諷，祖述美人香草之手法，以曲傳其鬱結，故情深調苦，往往感人。

三、戲為艷體之作

㈠

近知名阿侯，住處小江流。
腰細不勝舞，眉長惟是愁。
黃金堪作屋，何不作重樓。

此詩一起用樂府《河中之水歌》，言其小名及住處。三、四句腰細眉長，言其美艷。五、六句用漢武帝陳皇后之事，言若此佳麗，固値得以黃金屋藏貯之，但屋則深藏，豈若作重樓使居住，則可於登時偶一見之。

按此詩爲介乎律體與絕句間之小律，風格則與齊、梁爲近。詳其詩意，似無更深之寄託，亦與直賦本事之作殊科，故依紀昀說㊹，類歸爲戲爲艷體之作。

四、失去本題而後人題曰《無題》之作

㈠

萬里風波一葉舟，憶歸初罷更夷猶。

碧江地沒元相引，黃鶴沙邊亦少留。
益德冤魂終報主，阿童高義鎮橫秋。
人生豈得長無謂，懷古思鄉共白頭。

此詩以結聯二句爲一篇之主旨，義山蓋不甘於碌碌終生，無所作爲，又不能有所突破，而長久留滯異鄉，沈淪下潦，故云「人生豈得長無謂，懷古思鄉共白頭。」前四句即發攄思鄉之意，言自身如一葉扁舟飄泊於萬里風波之中，思歸之餘更復猶疑徬徨，不能自解。而碧江之水迤邐流去，本已牽引歸思，黃鶴沙邊暫歇，亦同我之留滯異鄉。四句似皆因江上所見而觸著身世之感。五、六兩句是懷古，分用張飛及王濬事，張飛雖被部屬所冤殺，而其報先主之忠心始終不改，王濬爲有全活巴人之惠政，其高義橫秋。一死一生，一忠一義，均可不朽，故逼出七句「人生豈得長無謂」之感喟。由於五、六句所用均爲巴、蜀故實，故前賢如朱鶴齡、陸崑曾、姚培謙、程夢星等皆以爲此詩作於東川[七]，可從。

按義山《無題》之作，不論有無寄託，詩辭意皆爲艷情，此詩抒寫懷古思鄉之感，詩意與艷情了不相涉，紀昀以爲是「佚去本題而編錄者署以《無題》，非他寓言之比」[二八]，其說近是，今從其說而別爲一類。劉學謙及余恕誠據盧綸《無題》一首不寫艷情，反駁紀昀之說[二九]，然詞人製題各有家法，恐不能援彼證此，且劉、余二氏於箋注「幽人不倦賞」一詩時，輒從馮浩改題爲《失題》，亦見其自相鑿枘，不足爲據也。

五、與《無題》詩相連失去本題誤合為一之作

(一)

幽人不倦賞，秋暑貴招邀。
竹碧轉悵望，池清尤寂寥。
露花終裛濕，風蝶強嬌嬈。
此地如攜手，兼君不自聊。

此詩以以「秋暑貴招邀」爲主旨，中間兩聯即承寫秋暑之景物，而自家心境之寂寥無俚亦表露無遺。結聯「攜手」與「招邀」前後顧盼，章法頗爲嚴謹。

按此詩舊本連「八歲偷照鏡」五古一篇題作《無題二首》，而其辭意與艷情毫無關涉，故何焯、紀昀、馮浩等皆以爲此首當另有題，馮浩箋注本且將此詩自「八歲偷照鏡」析出，改題爲《失題》。今從諸家說別爲一類。

三

李義山之《無題》詩，據舊本只此十六篇而已，已分別說明如上。除外，尚有涉爭議者四首，引錄如下：

(一)

待得郎來月已低，寒暄不道醉如泥。
五更又欲向何處，騎馬出門烏夜啼。

(二)

户外重陰黯不開，含羞迎夜復臨臺。
瀟湘浪上有煙景，安得好風吹汝來。

(三)

長眉畫了繡簾開，碧玉行收白玉臺。
爲問翠釵釵上鳳，不知香頸爲誰迴。

(四)

壽陽公主嫁時妝，八字宮眉捧額黃。
見我佯羞頻照影，不知身屬冶遊郎。

以上四詩，舊本第(一)、(二)兩首與另外一首七律「淸時無事奏明光」連章，題作《留贈畏之》，題下自注云：「時將赴梓潼遇韓朝迴三首」。馮浩說原注必有誤，因「第一首、第三首並非朝迴，第一首並非將赴梓潼」㉙，而進一步認爲此組詩題當作《無題》㉚，張爾田則將第二首及第三首析出，從趙刊《萬首絕句》，逕題作《無題二首》㉛。第(三)、(四)兩首舊本與另一首五律「初來小苑中」連章，題作《蜨三首》，馮浩以此二詩辭意與蜨無涉，故自「初來小苑中」析出，從《唐音戊籤》題作《無題二首》。今按㈠、㈡兩首據詩意固似與「留贈畏之」及題注無密切關連，但韋縠《才調集》收第㈡詩，已作此題，注悉同㈢，則題注如此作，由來已久，不必定誤。且如題注果誤，則其可能之情況，亦當如紀昀所云「失去贈韓詩二首，又失去此二首之題，誤連爲一」㈣，若僅以此二詩爲艷詞，據定爲《無題》，則義山集中辭意關涉艷情而別有題者甚多，足爲反證。第㈢、㈣首亦同。故今論義山《無題》詩，不包含此四首。

【附　注】

㈠見卷二百三十九。

㈡盧詩見卷二百七十六，李詩見四百七十五。

㈢《四部叢刊》影印之明嘉靖二十九年毗陵蔣氏刻《中唐人集十二家》中之《李義山詩集》、明悟言堂抄之《李商隱詩集》、清影宋鈔之《李商隱詩集》、清蔣斧影印之錢謙益寫校本《李商隱詩集》及清朱鶴齡之《李義山詩集箋註》皆同。

㈣見學生版沈厚塽輯評《李義山詩集》一九五頁至一九六頁。

㈤見中華版《玉谿生年譜會箋》一七五頁。吳喬《西崑發微》、汪辟疆《玉谿生詩箋舉例》及劉學鍇等《李商隱詩歌集解》引徐德泓說並同。

㈥見里仁版《玉谿生詩集箋注》四〇〇頁。程夢星《李義山詩集箋注》及紀昀《玉谿生詩說》說略同

⑦見《玉谿生詩箋舉例》，載《中華文史論叢》第四輯。
⑧吳說見《西崑發微》，程說見《李義山詩集箋注》，汪說見《玉谿生詩箋舉例》。
⑨見《唐詩貫珠串釋》。
⑩見《玉谿生年譜》，里仁版《玉谿生詩集箋注》八五三頁。
⑪見《玉谿生年譜會箋》九二頁。
⑫說見里仁版《玉谿生詩集箋注》一三五頁及一三六頁。
⑬見正大版《玉溪生詩意》三六頁。
⑭見里仁版《玉谿生詩集箋注》八四四頁。
⑮見中華版《玉谿生年譜會箋》二〇頁。
⑯見廣文版《李義山詩集箋注》二七七頁。
⑰見里仁版《玉谿生詩集箋注》四〇八頁。
⑱見上海古籍出版社《李商隱詩歌集解》一四五一頁。
⑲見學海版《李義山詩解》六十五頁。
⑳見里仁版《玉谿生詩集箋注》四五九頁。
㉑見上海古籍版《李商隱詩歌集解》一四六〇頁。
㉒劉履云：「子建與曹丕同母骨肉，今乃浮沈異勢，不相親與，故以孤妾自喻。」說見其《選詩補註》。
㉓見中文版《李義山詩集箋注》八二頁。

㉔已見前引，見註㊈。

㉕徐說見劉學鍇及余恕誠《李商隱詩歌集解》引，馮說見里仁版《玉谿生詩集箋注》三八八頁，張說見中華版《玉谿生年譜會箋》一七五頁。

㉖紀昀說已見前引，見註㊃。

㉗朱說見學生版《李義山詩集輯評》五二五頁，陸說見學海版《李義山詩解》九四頁，姚說見中文版《李義山詩箋注》三七〇頁，程說見廣文版《李義山詩集箋注》七一五頁。

㉘見學生版《李義山詩集輯評》五二六頁。

㉙見里仁版《玉谿生詩集箋注》五三四頁。

㉚同㉙五三七頁。

㉛見中華版《玉谿生年譜會箋》一七七頁。

㉜見商務版《才調集》七五頁。

㉝見《刪正二馮評閱才調集》。

參考書目

壹　專書

《李義山詩集輯評》　朱鶴齡箋注、沈厚塽輯評　學生書局

《李義山詩集箋注》　姚培謙箋注　中文出版社
《李義山詩集箋注》　程夢星箋注　廣文書局
《玉谿生詩集箋注》　馮　浩箋注　里仁書局
《玉谿生詩意》　屈　復　正大印書館
《西崑發微》　吳　喬　借月山房彙鈔本　藝文印書館
《李義山詩解》　陸崑曾　學海出版社
《玉谿生詩說》　紀　昀　藝文印書館
《李義山詩偶評》　黃　侃　學海出版社
《李義山詩辨正》　張爾田《玉谿生年譜會箋》附錄　中華書局
《李商隱評論》　顧翊群　中華詩苑
《李商隱和他的詩》　朱偰等　學生書局
《玉谿詩謎》　蘇雪林　商務印書館
《李義山詩析論》　張淑香　藝文印書館
《李商隱研究》　吳調公　上海古籍出版社
《李商隱詩論稿》　藍　于　中華書局
《李商隱詩研究》　黃盛雄　文史哲出版社

《李商隱詩箋釋方法論》　顏崑陽　學生書局
《李商隱詩集箋注》　葉蔥奇　里仁書局
《李商隱詩歌集解》　劉學鍇、余恕誠　中華書局
《李商隱評傳》　楊柳　木鐸出版社
《樊南文集》　馮浩詳注　上海古籍出版社
《玉谿生年譜會箋》　張爾田　中華書局
《玉谿生年譜會箋質疑》　岑仲勉《玉谿生年譜會箋》附錄　中華書局
《舊唐書》　劉昫等　鼎文書局
《新唐書》　歐陽修、宋祁　鼎文書局
《資治通鑑》　司馬光　世界書局
《通鑑隋唐紀比事質疑》　岑仲勉　九思出版社
《唐會要》　王溥　世界書局
《唐六典》　《四庫全書》本　商務印書館
《文獻通考》　馬端臨　新興書局
《登科記考》　徐松　中華書局
《讀史方輿紀要》　顧祖禹　樂天書局

《唐人行第錄》　岑仲勉　九思出版社
《唐史餘瀋》　岑仲勉　弘文館出版社
《唐集質疑》　岑仲勉《唐人行第錄》附錄　九思出版社
《唐僕尚丞郎表》　嚴耕望　中研院史語所
《唐摭言》　王定保　世界書局
《唐語林》　王讜　世界書局
《唐國史補》　李肇　世界書局
《雲谿友議》　范攄　世界書局
《酉陽雜俎》　段成式　源流出版社
《春明退朝錄》　《百川學海》本　藝文印書館
《夢溪筆談》　沈括　世界書局
《長安志》　《經訓堂叢書》本　藝文印書館
《太平廣記》　李昉　新興書局
《毛詩正義》　孔穎達　藝文印書館
《楚辭集注》　朱熹　藝文印書館
《全唐詩》　清聖祖敕定　文史哲出版社

《唐詩紀事》　計有功　中華書局
《全唐文》　董誥等奉敕編
《唐才子傳》　辛文房　文津出版社
《苕溪漁隱叢話》　胡　仔　長安出版社
《詩人玉屑》　魏慶之　九思出版社
《唐音癸籤》　胡震亨　木鐸出版社
《歷代詩話》　鍾嶸等　藝文印書館
《續歷代詩話》　孟棨等　藝文印書館
《清詩話》　王夫之等　明倫出版社
《清詩話續編》　毛先舒等　上海古籍出版社
《百種詩話類編》　臺師靜農主編　藝文印書館
《石遺室詩話》　陳　衍　商務印書館
《詩言志辨》　朱自清　開明書店
《談藝錄》　錢鍾書　學海出版社
《寥音閣詩話》　俞大綱　俞大綱全集本　幼獅文化事業有限公司

單篇論文

〈論李義山詩〉　繆　鉞　《詩詞散論》所收　開明書店

〈李商隱詩之淵源及其發展〉　勞榦　《幼獅學報》一卷二期

〈李商隱詩探微〉　孫甄陶　《新亞學報》四卷二期

〈李商隱之詩及其風節〉　曾克耑　《文學世界》二十五期

〈論李義山詩〉　金達凱　《民主評論》十二卷二十三期

〈李商隱詩評析〉　劉若愚　《清華學報》七卷二期

〈義山詩的傷時與自傷〉　孫克寬　《東方雜誌》三卷九期

〈李義山無題詩十五首考釋〉　湯翼海　《民主評論》十四卷六、七、九、十一期

〈李商隱戀愛事跡考辨〉　陳貽焮　《文史》第六輯

玖、論李義山詩之淵源

壹、敘論

李義山詩沈博絕麗，幽隱要眇，影響後世至為深遠，為晚唐一大家。從來偉大之作者，必能吸收衆長，鎔鑄古今，以成一家面目。此猶長江大河，波瀾壯闊，由其上游所受者廣也。義山於歷代墳典及前代詩集，寖饋至深，《詩經》及《楚辭》而下，蓋能博觀約取，得其精華，故其詩有如此卓犖之成就，實非偶然。觀其製題，如《杜工部蜀中離席》、《效長吉》、《擬沈下賢》、《齊梁晴雲》、《效徐陵體贈更衣》、《又效江南曲》等，則知義山所得於前賢者多矣。近人錢鍾書云：

> 李義山自開生面，兼擅臨摹，少陵、昌黎、下賢、昌谷無所不學，學無不似，近體亦往往別出心裁㊀。

其言甚碻。故據其作品以探討其根源所自，實為重要課題之一，於讀義山詩者蓋不無裨補云。

貳、本論

本文以義山作品爲據，間採前賢所見，論證義山詩之淵源，得其犖犖大者，凡有《詩三百篇》、《楚辭》、「漢魏六朝樂府」、「左思」、「齊梁體」、「庾信」、「杜甫」、「韓翃」、「李賀」等十端，依次論述如下。其餘所受者宜尙有之，姑從省略，以待他日之鉤稽。

一、《詩三百篇》

《詩三百篇》爲吾國最早歌謠之總集，分《風》、《雅》、《頌》三部份，作品以四言爲主，作法或賦、或比、或興，描寫生動，抒情深刻，充分反映當時社會之現實，其中往往寓含美刺，而以含蓄出之，達到「微而顯」之效果，感人至深，爲吾國文學作品之瑰寶，二千餘年來受到極高之評價，與《楚辭》一書，當永爲秦漢以前我國文學作品之雙璧，南北輝映㊁，後世辭人無不受其影響，李義山亦不例外，此點已經前人指出，如錢牧齋云：

> 義山之詩，忠憤蟠鬱，鼓吹少陵，以爲《風》人之博徒，《小雅》之寄位，其爲人詭激歷落，阨塞排笮，不應以浪子嗤點㊂。

此就義山作品所表現之情感而言，以爲直接少陵之忠憤沈鬱，然而觀「《風》人之博徒，《小雅》之寄位」云云，則錢氏蓋以義山之待遙承《詩三百篇》之精神，其意甚明。其實，類似之見解宋人早已提出，葉石林云：

義山當南北水火，中外箝結，不得不紆曲其指，誕謾其詞，此《風》人《小雅》之遺㈣。

其言與錢牧齋前後若出一符，足證錢氏之說非一家之私論也。

以上係就義山整體詩風立論，其就個別詩篇而言，則如羅大經云：

明星納太眞宮中，與衛宣公納伋妻無異，白樂天《長恨歌》云：「楊家有女初長成，養在深閨人不識。天生麗質難自棄，一朝選在君王側。」此爲尊者諱也。近時楊誠齋《題武惠妃傳》云：「桂折秋風露折蘭，千花無朵可天顏。壽王不忍金閨冷，獨獻君王一玉環。」詞雖工而意未婉。惟李商隱云：「龍池賜酒敞雲屏，羯鼓聲高衆樂停。夜半宴歸宮漏永，薛王沈醉壽王醒。」其詞微而顯，最得《風》人之旨㈤。

此就李義山七絕《龍池》而言也。又如姚培謙云：

前者是惑溺開場，後者是惑溺下場，沈痛得《正月》詩人遺意㈥。

此就義山七絕《北齊二首》而言也。按《小雅、正月》，毛《序》以爲「大夫刺幽王」之作，義山此詩云：

一笑相傾國便亡，何勞荊棘始堪傷。小憐玉體橫陳夜，已報周師入晉陽。

巧笑知堪敵萬機，傾城最在著戎衣。晉陽已陷休迴顧，更請君王敵一圍。

詩詠北齊後主亡國事，蓋寓鑒戒之深意。前章言其一爲所惑，禍敗即來；次章言轉入轉迷，必將禍至不覺，用意反覆深至，故姚氏以爲「沈痛得《正月》詩人遺意」，其言是也。如此之類甚多，聊舉以上三例，以見義山詩祖紹《詩三百篇》之一斑。

二、楚辭

《楚辭》爲西漢劉向所輯，收屈原、宋玉、淮南小山、東方朔、王褒、劉向等人之辭賦凡十六篇。全書以屈原作品《離騷》、《九歌》、《九章》、《天問》等爲主，其餘作品亦大體繼承屈賦之形式與精神。以其運用楚地之文學形式及方言聲韻，地方色彩甚爲濃厚，故名《楚辭》。辭藻奇麗，想像豐富，好用比興，富於浪漫精神，爲《楚辭》作品之特點。

義山詩受《楚辭》之影響至深，此可自義山詩中所表現之情感及所以表現此情感之方法二端言之。

就詩中所表現之情感而言，義山靈心善感，一往深情而不能自遣，遂如春蠶之作繭自縛，不能振拔。其用情之深摯及往而不返，均與屈原至爲相近，此點近人繆鉞言之極精：

昔之論詩者，謂吾國古人之詩，或出於《莊》，或出於《騷》。出於《騷》者爲正，出於《莊》者爲變。斯言頗有所見。蓋詩以情爲主，故詩人皆深於哀樂，然同爲深於哀樂，而又有兩種殊異之方式，一爲入而能出，一爲往而不返，入而能出者超曠，往而不返者纏綿，莊子與屈原恰好爲此兩種詩人之代表。莊子持論，雖忘物我，齊是非，然其心並非如槁木死灰，其書中如「君其涉於江而浮於海，望之而不見其崖，愈往而不知其所窮，送君者皆自崖而反，君自

> 此遠矣。」（《山木篇》）又如「山林與，皋壤與，使我欣欣然樂與，樂未畢也，哀又繼之。」（《知北遊篇》）諸語憂樂無端，百感交集，在先秦諸子中最富詩意。惟莊子雖深於哀樂，而不滯於哀樂，雖善感而又能自遣。屈原則不然，其用情專壹，沈綿深曲，生平忠君愛國，當遭讒被放之後，猶悱惻思君，潺湲流涕，憂傷悼痛，不能自已。「退靜默而莫余知兮，進呼號又莫吾聞。申侘傺之煩惑兮，中悶瞀之忳忳。」（《惜誦》）最足以自狀其心境之鬱結，不能排遣，故卒至於自沈。蓋莊子之用情，如蜻蜓點水，旋點旋飛；屈原之用情，則如春蠶作繭，愈縛愈緊。自漢魏以降之詩人，率不出此兩種典型，或偏近於莊，或偏近於屈，或兼具莊屈兩種成分，而其分配之比例又因人而異，遂有種種不同之方式，而以近於屈者爲多，如曹植、阮籍、謝靈運、謝朓、張九齡、杜甫、柳宗元等皆是，故論者謂吾國詩以出於《騷》者爲正。李義山之心情，苟加以探析，殆極近屈原。「春蠶至死絲方盡，蠟炬成灰淚始乾。」
>
> 此義山自道之辭，亦即屈原之心理狀態㊆。

繆氏此節言漢魏以降之詩人或偏近於莊，或偏近於屈，近於莊者入而能出，近於屈者往而不返，以李義山之用情，纏綿悱惻，如春蠶吐絲，到死方盡，殆極近於屈原之心理狀態。其說極爲有見。繆氏又云：

> 義山少時受知於令狐綯之父令狐楚，其後登進士第，又賴令狐綯推薦之力，受恩兩世，淵源深厚。唐代新及第進士，往往爲達官貴人東床之選，故義山進士及第後，娶涇原節度使王茂元之

女。此事本無足異。惟當時李德裕與牛僧孺兩黨相爭，分立門户，令狐氏父子黨於牛僧孺，而王茂元乃李德裕所厚，義山以孤寒書生，與牛李兩人均無關涉，其娶王茂元之女，或亦未嘗思及黨爭門户之事，然因此爲令狐綯所怨，謂義山背恩，情好漸乖，其後義山又應桂管觀察使之辟，爲使府掌書記，鄭亞亦李德裕之黨，令狐綯益不悦。宣宗時，令狐綯爲相十年，威權震爍，干進者率趨其門，義山與令狐氏有兩世交誼，本應受其沾溉，乃因曾依王茂元及鄭亞之故，爲綯所怨，絕不汲引，義山遂蹭蹬終身。在義山之意，以爲娶王茂元女本新進士聯姻顯貴之常事，而依鄭亞幕，亦爲貧所迫，皆非有意背恩，故屢次陳情，以明心跡，望能爲令狐綯所諒。令狐綯以舊誼之故，仍與義山往還，形跡亦頗親密，而心中則深怨義山負恩事讎，放利偷合，不肯再援於仕途。此種不即不離之關係，複雜難明之隱情，使義山深感痛苦。如陶潛、蘇軾處此，必有以放懷自遣，而義山對於此事，則深怨沈憂，如春蠶自縛，牢固而不可解，愈望之而愈怨之，愈怨之而愈不忍舍去。其怨令狐之冷淡也，則曰：「欲就麻姑買滄海，一杯春露冷如冰。」（《謁山》）……其望令狐綯之援引也，則曰：「聞道神仙有才子，赤簫次罷好相攜。」（《玉山》）又曰：「人間桑海朝朝變，莫遣佳期更後期。」（《一片》）及至陳情不省，援引望絕，而猶不能舍去，則曰：「直道相思了無益，未妨惆悵是清狂。」（《無題》）（原注：以上所引諸詩，皆本馮注之説）義山之於令狐綯，與屈原之於楚王，情事雖殊，所感相似，故義山詩之沈綿往復，幽憶怨斷，亦極近《離騷》也㈧。

此節繆氏之言，則就義山之遭遇，進一步探究義山詩之主要背景，以爲義山之於令狐綯，猶屈原之於楚王，二者情事雖殊，而所感相似，故義山詩中所表現之沈綿往復之情極近《離騷》，其說尤中肯綮，故不憚繁而詳引之。

以上係就義山詩所表現之情感而言，此外，就義山詩所以表現此情感之方法而言，亦與《離騷》極爲相似，蓋《離騷》多用香草美人以爲寄託，而義山詩工於比興，即承襲此種優良傳統，此點朱鶴齡於其《李義山詩集箋注序》已言及之，而張爾田評義山《曉起》五律，亦有類似之意見：

> 玉谿此種詩皆艷體正宗，假閨襜瑣屑、男女媟褻之詞，以寓賢人君子不得於世之隱痛，聞者足戒，言者無罪，正得屈、宋之遺而變出之㊈。

繆鉞亦有此說，而言之尤爲詳明：

> 義山之心情，固近於屈原，而其作詩之方法，亦多取自《離騷》。屈原借美人香草之辭，發抒忠愛，芳馨悱惻，爲中國文學開一美境，後世詩人多承其風，而義山尤喜用此法，故集中多艷體詩。其中一部份或即閒情之什，無更深之託意，而有一部分則確係借男女之情以喻他事，尤多寄意於令狐者。義山《有感》詩云：「非關宋玉有微辭，卻是襄王夢覺遲。一自《高唐賦》成後，楚天雲雨盡堪疑。」此詩無異自作箋注，說明自己作詩之法，使後世讀者勿以辭害意也㊉。

借男女之情喻指他事，此種比體之作，乃自《離騷》美人香草之辭變化而出，張、繆二氏所言極是。

而考義山集中除艷詩或借男女以況主臣師友，係直接承襲《離騷》傳統外，其他如遊仙詩借神仙以喻人事，詠物詩借物以喻人，，詠史詩借古以喻今，數量均不少，皆屬比體詩之範疇，此三者與《離騷》、《九歌》、《九章》等作品之表現方法亦有直接或間接之關係，謂其遠紹《楚辭》，蓋無不可。

以上據義山詩所表現之情感及所以表現此情感之方法以論義山詩與《離騷》、《九歌》、《九章》等作品之關係，俱見義山詩淵源於《楚辭》者至深。除此二大端以外，義山詩用《楚辭》之典故者甚多，若「芙蓉作裙衩」（《無題》）、「雨滿空城蕙葉彫」（《利州江潭作》）、「已斷燕鴻初起勢，更驚騷客後歸魂」（《贈劉司戶蕡》）、「楓樹夜猿愁自斷，女蘿山鬼語相邀」（《楚宮》）之類，或刺取其辭藻，或使用其故實，其例不勝枚舉，即此一事，亦可覘知《楚辭》對義山詩影響之深廣，實非泛泛之比。

三、漢魏六朝樂府

漢魏六朝樂府善於叙事言情，語言活潑自然，譬喻生動新奇，又時用諧音雙關之字，別饒趣味，後世辭人往往受其沾溉。李義山詩取資於漢魏六樂樂府者亦復不少，其顯而易見者，如《無題》云：

八歲偷照鏡，長眉已能畫。
十歲去踏青，芙蓉作裙衩。

十二學彈箏，銀甲不曾卸。
十四藏六親，懸知猶未嫁。
十五泣春風，背面鞦韆下。

此詩寫聰明女郎省事太早，而幽怨隨之，以託寓少年有才而憂慮遇合之情，詩自八歲、十歲、十二歲、十四歲以迄十五歲，每歲各寫兩句，而以「十五泣春風，背面鞦韆下」二句爲一篇之結穴。案漢樂府《焦仲卿妻》云：「十三能織素，十四學裁衣，十五彈箜篌，十六誦詩書，十七爲君婦，心中常悲苦。」，義山此首《無題》蓋本此，而每歲由一句衍爲兩句，又通篇變賦爲比，則又別出心裁，是眞能學古而不泥於古者，故馮班云：「只學得《焦仲卿妻》一段，然此道已非他人所解。⑪」而張謙宜亦云：「樂府高手，直作起結、更無枝語，所以更妙。⑫」二氏之言，蓋皆有見而發。

李義山有《柳枝五首》，寫義山少年時與同里女子柳枝之一段遭遇，《序》言義山與柳枝一見傾心而不果諧合，後柳枝爲東諸侯取去。辭甚惘惘，具見義山對柳枝之一往情深。詩云：

花房與蜜脾，蜂雄蛺蝶雌。
同時不同類，那復更相思。（其一）
本是丁香樹，春條結始生。
玉作彈棊局，中心亦不平。（其二）

嘉瓜引蔓長，碧玉冰寒漿。
東陵雖五色，不忍值牙香。（其三）

柳枝井上蟠，蓮葉浦中乾。
錦鱗與繡羽，水陸有傷殘。（其四）

畫屏繡步障，物物自成雙。
如何湖上望，只是見鴛鴦。（其五）

首章以雄蜂與雌蝶喻指柳枝與東諸侯，傷柳枝之所適非類；次章以丁香之結苞喻柳枝之脈脈含愁，以彈棊局之中心不平雙關詩人內心之不平；三章以東陵瓜喻柳枝，以「不忍值牙香」強調詩人憐惜之情；四章以柳枝屈蟠於井上，喻柳枝之不得其所，以蓮葉乾於浦中，喻詩人之憔悴失意。並分別以水中之錦鱗與陸上之繡羽分喻柳枝與詩人，謂彼此均受傷害；五章借畫屏、繡障及湖上之景，物物成雙，以抒發詩人獨居無偶之悲慨。此詩五首一組，每首五言四句，且大量使用比喻及雙關之手法，其受南朝樂府小詩之影響至爲明顯，姚培謙評此詩云：「五首俱效樂府體。⑬」紀昀亦云：「五首皆有《子夜》、《讀曲》之遺⑭」其說甚是。

除《柳枝五首》以外，義山其他五言絕句之作深受六朝樂府之影響者亦復不少，舉數首如下：

無賴天姚面，平明露井東。
香風為開了，卻擬笑春風。（《嘲挑》）

珠實雖先熟，瓊莩縱早開。
流鶯猶故在，爭得諱含來？（《百果嘲櫻桃》）

衆果莫相誚，天生品自高。
何因古樂府，唯有鄭櫻桃？（《櫻桃答》）

朱實鳥含盡，青樓人未歸。
南園無限樹，獨自葉如幃。（《嘲櫻桃》）

此類小詩，託為果樹以相嘲答，有似於男女之相互唱和，論其風格，與南朝樂府《子夜》、《讀曲》實甚接近，特義山往往借物寓意，變賦體為比體耳。

至於詩中使用諧音雙關之字，本為六朝樂府所習見，前舉義山《柳枝五首》之次章即承用此法，義山集中他例尚多，更舉三例如下：

莫近彈棊局，中心最不平。（《無題》）

芭蕉不展丁香結，同向春風各自愁。（《代贈二首》）

春蠶到死絲方盡，蠟炬成灰淚始乾。（《無題》）

第一例以彈棊局中心之不平，喻人中心之不平，「中心最不平」，爲同音同字之諧音雙關。此與《柳枝五首》之次章情事相同。第二例以芭蕉之不展及丁香之結苞雙關心情之鬱結及不舒展，「不展」與「結」亦爲同音同字之諧音雙關。第三例上句「絲」諧音「思」，下句「淚」兼含蠟淚及眼淚二義，前者爲同音異字之諧音雙關，後者爲同音同字之諧音雙關。無論同音同字之諧音雙關，抑同音異字之諧音雙關，皆當溯源於六朝之樂府小詩如《子夜》、《讀曲》之類也㊄。

四、左思

李義山有《驕兒詩》五古長篇，係爲義山長子衮師而作，詩云：

衮師我驕兒，美秀乃無匹。文葆未周晬，固已知六七。四歲知姓名，眼不視梨栗。交朋頗窺觀，謂是丹六物。前朝尙器貌，流品方第一。不然神仙姿，不爾燕鶴骨。安得此相謂？欲慰衰朽質。青春姸和月，朋戲渾甥姪。繞堂復穿林，沸若金鼎溢。門有長者來，造次請先出。客前問所須，含意不吐實。歸來學客面，闒敗秉爺笏。或謔張飛胡，或笑鄧艾吃。豪鷹毛崱屴，猛馬氣佶傈。截得青篔簹，騎走恣唐突。忽復學參軍，按聲喚蒼鶻。又復紗燈旁，稽首禮夜佛。仰鞭罥蛛網，俯首飲花蜜。欲爭蛺蝶輕，未謝柳絮疾。階前逢阿姊，六甲頗輸失。凝走弄香奩，拔脫金屈戌。抱持多反倒，威武不可律。曲躬牽窗網，衉唾拭琴漆。有時看臨書，挺立不動膝。古錦請裁衣，玉軸亦欲乞。請爺書春勝，春勝宜春日。芭蕉斜卷牋，辛夷低過筆。爺昔好讀書，懇苦自著述。憔悴欲四十，無肉畏蚤蝨。兒慎勿學爺，讀書求甲乙。穰苴司馬法，張良黃石術。便爲帝王師，不假更纖悉。況今西與北，羌戎正狂悖。誅赦兩未成，將養如痼疾。兒當速成大，探雛入虎窟。當爲萬戶侯，勿守一經帙。

詩分三大段，自首句至「欲慰衰朽質」爲第一段，寫袞師之美秀及朋輩之跨獎。自「青春妍和月」至「辛夷低過筆」爲第二段，寫袞師天眞爛漫、聰明活潑之情態。自「爺昔好讀書」至末爲第三段，寫對袞師之期望，其中寓含感慨。案描寫小兒女嬌憨之作，在晉有左思之《嬌女詩》，於鋪叙鋳張之中見親子天倫之眞情，而杜甫《北征》云：「學母無不爲，曉妝隨手抹。移時施朱鉛，狼籍畫眉闊。」則縮爲四句，以少勝多。義山《驕兒詩》之作，顯然受左思及杜甫之影響，程夢星評此詩云：「詩中叙事全從左思《嬌女詩》來，但參之杜子美《北征》中段，較左思更爲擴而充之耳。㈥」其說甚是㈦。抑又有說，義山此作雖源出左思之《嬌女詩》，而其筆端所流露之感情實已有別，蓋左思係以尋常父母憐愛子女之情觀察、描寫嬌女，而義山則是以飽經憂患、潦倒失意者之眼光觀察、描寫驕兒㈥，故義山之《驕兒詩》形跡雖似左思之《嬌女詩》，論其精神則反於杜甫《北征》爲近，觀篇中自

嘆衰朽及末段「愼勿學爺」之語，感慨之中寓含牢騷，可以明瞭此點。

齊梁體

義山有《齊梁晴雲》詩云：

緩逐煙波起，如妒柳綿飄。

故臨飛閣度，欲入迴陂銷。

縈歌憐畫扇，敞景弄柔條。

更耐天南位，牛渚宿殘宵。

題曰《齊梁晴雲》，意爲效齊梁體而賦晴雲，與《杜工部蜀中離席》意爲效杜工部賦蜀中離席，製題之例相同。義山效法齊梁體之作，除此首以外，集中尙不少，特未於題中標明而已，明何良俊云：

齊梁體自盛唐一變之後，不復有爲之者，至溫、李出，始復追之。今觀溫飛卿《西州曲》「單衫杏子紅，雙鬢雅雛色」之句，及李義山《無題》云：「八歲偷照鏡，長眉已能畫。十歲去踏青，芙蓉作裙衩。十二學彈箏。銀甲不會卸。十四藏六親，懸知猶未嫁。十五泣春風，背面秋千下。」《無題》云：「照梁初有情，出水舊知名。裙衩芙蓉小，釵茸翡翠輕。錦長書鄭重，眉細恨分明。莫近彈碁局．中心最不平。」《詠月》云：「池上與橋邊，難忘復可憐。簾開最明夜，簟卷已涼天。流處水花急，吐時雲葉鮮。姮娥無粉黛，只是逞嬋娟。」《詠荷花》云：「都無色可並，不奈此香何。瑤席乘涼設，金羈落晚過。迴衾鐙照綺，渡襪水沾羅。預想前秋別，離居夢棹歌。」《效江南曲》云：「郎船安兩槳，儂舸動雙橈。掃眉開宮額，裁裙約楚腰。垂期方積思，臨醉欲拚嬌。莫以採菱唱，欲羨秦臺簫。」又《效徐陵體更衣》云：「密帳眞珠絡，溫幃翡翠裝。楚腰知便寵，宮眉正鬥強。結帶懸梔子，繡領刺鴛鴦。輕寒衣省夜，金斗熨沈香。」此作雜之《玉臺新詠》中，夫孰有能辨之者？㊈

何氏上言溫、李始復追效齊梁體，下舉溫庭筠《西州曲》及李義山《無題》、《詠月》、《詠荷花》、《效江南曲》、《效徐陵體更衣》諸詩，以爲能亂《玉臺新詠》之楮葉。是何氏之意以《玉臺新詠》所收爲齊梁體之代表作品，而前揭義山《無題》諸詩能得齊梁體之神髓也。案所謂「齊梁體」者，當是泛指齊梁時詩歌之代表風格而言，而齊時有所謂「永明體」，梁時有所謂「宮體」及「徐庾體」，則「齊梁體」之云，當是涵蓋「永明體」、「宮體」、「徐庾體」三者在內，厥義頗廣㊉。故欲明「齊梁體」之風格，當先探究「永明體」、「宮體」及「徐庾體」三者之特色爲何。「永明體」爲齊武帝蕭賾永明年間所產生之詩體，據《南齊書、陸厥傳》云：「吳興沈約、陳郡謝朓、琅琊王融以氣類相推轂，汝南周顒善識聲韻。約等文皆用宮商，將平、上、去、入爲四聲，以此制韻，有平頭、上尾、蜂腰、鶴膝。五字之中，音韻悉異，兩句之內，角徵不同，不可增減，世呼爲『永明體』。」知「永明體」之特色爲注重聲律，有四聲、八病之說。「宮體」爲梁朝所流行之一種詩體，《梁書、簡文帝本紀》謂簡文「雅好題詩，其序云：余七歲有詩癖，長而不倦。然傷于輕艷，當時號曰《宮體》」知「宮體」詩之特色爲風格輕艷靡弱，內容多寫閨情，《玉臺新詠》所收作品泰半屬於此類。「徐庾體」為梁朝徐陵及庾信早期作品所代表之一種詩文風格，據《周書·庾信傳》云：『時（庾）肩吾為梁太子中庶子，掌書記，東海徐摛為左衛率，摛子陵及（庾）信拜為抄撰學士，……文并綺艷，故世號為『徐庾體』焉。」知「徐庾體」之特色為綺靡流麗，內容亦多描寫閨情，與「宮體」同。然則「齊梁體」之特點可得而言：講求聲律及對偶，一也；造語蒨麗，風格靡弱，二也；內容雖偶有詠物之作，然多以描寫閨情為主，三也㊂。前舉義山《齊梁晴雲》及《無題》等作即具備此諸種特點，其有意模仿或受「齊梁體」之影響甚明。義山集中，此種風格之作品尚多有之，《代越公房妓嘲徐公主》云：

笑啼俱不敢，幾欲是吞聲。
遽遣離琴怨，都由半鏡明。
應防啼與笑，微露淺深情。

又《代貴公主》云：

芳條得意紅，飄落忽西東。
分逐春風去，風迴得故叢。
明朝金井露，始看憶春風。

二詩俱寫閨情而風格綺靡，即屬此類㊂。

抑又有言，以齊、梁之時，嚴整之律體未立，故「齊梁體」之詩往往無粘聯，只在本句本聯中論平仄，而又時雜古句㊂。如前舉義山《齊梁晴雲》之詩，以句言之，八句之中，每句平仄皆合；以聯論之，四聯之中惟頷聯及腹聯合律，而首聯爲「仄仄平平仄，平仄仄平平」，結聯爲「仄仄平平仄，仄仄仄平平」，均失對。以章論之，除結聯之出句與腹聯之落句黏綴外，餘各聯之間均爲失黏。又如義山《效徐陵體贈更衣》云：

密帳眞珠絡，溫幃翡翠裝。
楚腰知便寵，宮眉正鬥強。
結帶懸梔子，繡領刺鴛鴦。
輕寒衣省夜，金斗熨沈香。㊃

此詩以句言之，八句之中，每句平仄皆合；以聯言之，四聯之中，除首聯及結聯合律外，頷聯爲「仄平平仄仄，平平仄仄平」，腹聯爲「仄仄平平仄，仄仄仄平平」，均失對。以章言之，除頷聯之出句與首聯之落句黏綴以外，餘腹聯與頷聯之間，及結聯與腹聯之間，均爲失黏。上舉二詩皆爲題中標明效齊梁體之例（徐陵體亦齊梁體也，說已見前文），比合以觀，則「齊梁體」只論一句之平仄，不論黏法，蓋甚明顯。至於一聯之中，出句與落句或對或不對，據前舉二例觀之，似亦未刻意講求也。

六、杜甫

杜甫爲影響李義山最深之唐代詩人，此點前人言之者甚多，如蔡寬夫云：

王荆公晚年亦喜稱義山詩，以爲唐人學老杜而得其藩籬者，惟義山一人而已。每誦其「雪嶺未歸天外使，松州猶駐殿前軍」，「永憶江湖歸白髮，欲回天地入扁舟」，與「池光不受月，暮氣欲沈山」、「江海三年客，乾坤百戰場」之類，雖老杜無以過也㉕。

又葉少蘊亦云：

唐人字少陵，惟商隱一人而已，雖未盡造其妙，然精密華麗亦自得其彷彿。故國初錢文僖與楊大年、劉中山皆傾心師尊，以爲過老杜㉖。

按義山集中有《杜工部蜀中離席》及《河清與趙氏昆季讌集得擬杜工部》二詩，是自言擬杜之作㉗。實則義山於少陵寢饋極深，其所爲詩除少數艷體以外，大都受杜詩之影響，不僅上舉二詩而已。茲從字法、句法、章法、風格及諷切時事等諸端舉例言之。

以句法而論，杜詩如「寒城菊自花」、「故園花自發」、「風月自清夜」、「虛閣自松聲」等，善用「自」字以發抒感慨。義山詩中用「自」字之例如「春風雖自好」（《春風》）、「青樓自管絃」（《風雨》）、「自明無月夜」（《李花》）、「秋池不自冷」（《雨》）、「萬崦自芝苗」（《送從翁從東川弘農尚書幕》）、「彩鸞空自舞」（《夜思》）、「白閣自雲深」（《念遠》）、「朔雪自龍沙」（《喜雪》）、「思子臺邊風自急」（《出關宿盤豆館對蘆叢有感》）、「春風自共何人笑」（《無題》）、「不識寒郊自轉蓬」（《少年》）等，亦多寓含感慨，而籍「自」字唱嘆出之，倍覺深至，此爲義山字法有取於少陵之一例也㉘。

以句法而論，杜詩云：「江漢思歸客，乾坤一腐儒。」義山效之，則有「江海三年客，乾坤百戰場」（《夜飲》）之句；杜詩云：「路經灩澦雙蓬鬢，天入滄浪一釣舟。」義山效之，則有「永憶江湖歸白髮，欲回天地入扁舟」（《安定城樓》）之句；杜詩云：「清新庾開府，俊逸鮑參軍。」義山效之，則有「哀同庾開府，瘦極沈尚書」（《有懷在蒙飛卿》）之句；杜詩云：「萬里悲秋常作客，百年多病獨登臺。」義山效之，則有「萬里憶歸元亮井，三年從事亞夫營」（《二月二日》）之句。或襲其語而變其意，或語意俱變，如是者甚多。然此自其粗者言之耳，猶有形跡可按，至如義山「人間路有潼關險，天外山惟玉壘深」（《寫意》）、「玉璽不緣歸日角，錦帆應是到天涯」（《隋宮》）、「虹收青嶂雨，鳥沒夕陽天」（《河清與趙氏昆季讌集得擬杜工部》）、「客鬢行如此，滄波坐渺然」（同上）、「池光不受月，野氣欲沈山」（《戲贈張書記》）、「雪嶺未歸天外使，松州猶駐殿前軍」（《杜工部蜀中離席》）、「城窄山將壓，江寬地共浮」（《桂林》）之類，則純取風神，奪少陵之骨髓，不復能以形跡求之矣。此外，義山復有《當句有對》之作云：

密邇平陽接上蘭，秦樓鴛瓦漢宮盤。
池光不定花光亂，日氣初涵露氣乾。
但覺遊蜂饒舞蝶，豈知孤鳳憶離鸞。
三星自轉三山遠，紫府程遙碧落寬。

義山詩於一句中自成對偶之例甚多，如「青女素娥俱耐冷，月中霜裡鬥嬋娟」（《霜月》）、「黃葉仍風雨，青樓自管絃」（《風雨》）、「骨肉書題安絕徼．蕙蘭蹊徑失佳期」（《荊門西下》）、

「花鬢柳眼各無賴，紫蝶黃蜂俱有情」（《二月二日》）、「重吟細把眞無奈，已落猶開未放愁」（《即日》）、「迎憂急鼓疏鐘斷，分隔休燈滅燭時」（《曲池》）、「江魚朔雁長相憶，秦樹嵩雲自不知」（《及第東歸次灞上卻寄同年》）、「風朝露夜陰晴裡，萬戶千門開閉時」（《流鶯》）、「由來碧落銀河畔，可要金風玉露時」（《辛未七夕》）等皆是，蓋不可殫舉。此詩因每句中有對，故特以「當句有對」爲題。實則此體始創自少陵，義山特爲定其名耳，近人錢鍾書云：

> 此體（案：指當句有對之體）創於少陵，而名定於義山。少陵《聞官軍收兩河》云：「即從巴峽穿巫峽，便下襄陽向洛陽。」《曲江對酒》云：「桃花細逐楊花落，黃鳥時兼白鳥飛。」《白帝》云：「戎馬不如歸馬逸，千家今有百家存。」義山《杜工部蜀中離席》云：「座中醉客延醒客，江上晴雲雜雨雲。」《春日寄懷》云：「縱使有花兼有月，可堪無酒又無人。」又七律一首題曰《當句有對》，中一聯云：「池光不定花光亂，日氣初涵露氣乾。[二九]」

觀錢氏所舉之例，似把「當句有對」局限於字面重出之例，實則此只是其中一體，「當中有對」固不限於此體，試觀義山《當句有對》之作，字面重出者只有頷聯及第七句，頷聯即錢氏所引者，七句「三星」與「三山」對，「三」字亦重出。其餘各句皆當句中有對偶而字面不重出，如首句「平陽」與「上蘭」對，次句「秦樓」與「漢宮」對，五句「遊蜂」與「舞蝶」對，六句「孤鳳」與「離鸞」對，八句「紫府」與「碧落」對，故知錢氏所舉之例未爲周延。然此體昉自少陵，至義山則廣泛加以使用，且以《當句有對》爲詩題，錢氏謂「此體創於少陵，而名定於義山」，說則無誤。此亦義山學杜之一端也。

以章法而論，義山有《昭郡》詩[30]云：

桂水春猶早，昭州日正西。
虎當官路鬥，猿上驛樓啼。
繩爛金沙井，松乾乳洞梯。
鄉音吁可駭，仍有醉如泥。

詩爲大中二年在嶺南所作[31]，首聯點題，揭明時地；中間兩聯寫景，三、四句近景，五、六句遠景。結以羈旅作收。案少陵律詩中間兩聯極有變化，如俱寫景，則必分虛實遠近，義山律詩亦復如此，蓋得法於少陵，此詩即是一例，張爾田評此詩云：「中二聯一近一遠分寫，遂不合掌。結以異鄉作客爲收，虛實兼到，轉折極爲清楚，章法全宗少陵[32]。」其說是也。義山《江上》詩云：

萬里風來地，清江北望樓。
雲通梁苑路，月帶楚城秋。
刺字從漫滅，歸途尚阻修。
前程更煙水，吾道尚淹留。

詩爲大中二年江程寓懷之作，首聯點題，三、四左右顧望之所見，下二聯言無所遇合，更向客途，而意在急歸也。按少陵律詩往往前景後情，義山祖之，其律詩亦多如此，此即其中一例[33]。義山《河清與趙氏昆季讌集得擬杜工部》詩云：

勝概殊江右，佳名逼渭川。
虹收青嶂雨，鳥沒夕陽天。
客鬢行如此，滄波坐渺然。
此中眞得地，漂蕩釣魚船。

此詩亦爲大中二年作㉔，首聯擒題，二句分點河、清；頷聯寫晚晴之景，可入畫圖；三聯由景入情，抒發羈旅及遲暮之感；結聯謂久倦行旅，欲終老此地，以回應首聯。少陵律體往往先景後情，義山祖之，此亦一例也。而三、四句清麗，五、六句渾厚，提頓有力，振起全篇，姚培謙云：「上半首席間勝概，下半首自叙情懷，第五句轉接得力，是杜法㉕。」其說是也。義山《昨日》詩云：

昨日紫姑神去也，今朝青鳥使來賒。
未容言語還分散，少得團圓足怨嗟。
二八月輪蟾影破，十三絃柱雁行斜。
平明鐘後更何事，笑倚牆邊梅樹花。

此詩爲大中三年元夕後一日所作㉖，首聯言紫姑神去，問卜無從，青鳥不來，音問斷絕；頷聯未容言語，少得團圓，傷分散之易而合會之難；腹聯承頷聯，「二八月輪」，言團圓時少；「十三絃柱」，即分散時多。結聯用宕筆颺開，笑倚梅花，意味深長。按少陵每於結句旁入他意，最爲警策，如《縛雞行》結語云：「雞蟲得失無了時，注目寒江倚山閣」，是其例。義山此詩收句云：「笑倚牆邊梅樹花」，篇中無限顛倒思量，結處一齊掃卻，有如天空雲滅。此種章法即從杜出。試將義山此詩與老杜《縛雞行》兩相比對，當可知此中消息㉗。義山《杜工部蜀中離席》云：

人生何處不離群，世路干戈惜暫分。
雪嶺未歸天外使，松州猶駐殿前軍。
座中醉客延醒客，江上晴雲雜雨雲。
美酒成都堪送老，當壚仍是卓文君。

詩爲大中六年之作㉘，題曰「杜工部」，即擬杜工部體，與《韓翃舍人即事》同例。起用反喝，使曲折頓挫，一則干戈滿路，一則人麗酒濃，兩路夾寫出惜別，如此結構，不愧老杜正嫡。結語「堪送」反應首聯「暫」字，脈落之細，亦大似少陵㉙。

以上從字法、句法及章法三端舉例略論義山詩與少陵之關係，然此特形貌而已，義山學杜，可貴處在能得少陵詩之精神，此可從風格之沈鬱及諷切時事二端言之。

以風格之沈鬱言，如義山《重有感》七律云：

玉帳牙旗得上游，安危須共主君憂。
竇融表已來關右，陶侃軍宜次石頭。
豈有蛟龍愁失水，更無鷹隼與高秋。

畫號夜哭兼幽顯，早晚星關雪涕收。

詩成於開成元年，與《有感》五古二首均爲感甘露之變而作㊵。按唐文宗太和九年，宰相李訓、鳳翔節度使鄭注等詐稱左金吾廳事後石榴有甘露降，誘使宦官仇士良等往觀，欲誅殺之，士良等至，見幕下有伏兵，驚走，事敗，李訓、鄭注及王涯、舒元輿等皆被殺，族誅十餘家，死者千餘人。自此宦官益橫。昭義節度使劉從諫不平，上疏問王涯等罪名，有「誓以死淸君側」之言，仇士良聞之惕懼，帝倚其言，差自強。義山此詩專爲劉從諫而發，首聯言昭義據天下之上游，即當與主君安危與共；頷聯承之，敦促劉速發兵來勤王；腹聯以「豈有」與「更無」開闔相應，上句謂主君無受制之理，下句申言受制之故，以無爲主上分憂之強臣，如鷹隼之逐惡人也；結則望其速來誅君側之惡，雪神人之憤。義山痛心時事，一宣洩於詩，此篇感慨中含憤鬱之情，可與少陵《諸將五首》比觀。義山又有《籌筆驛》七律云：

猿鳥猶疑畏簡書，風雲長爲護儲胥。
徒令上將揮神筆，終見降王走傳車。
管樂有才眞不忝，關張無命欲何如？
他年錦里經祠廟，梁甫吟成恨有餘。

籌筆驛在今四川廣元縣北，諸葛亮出師北伐，嘗駐軍籌畫於此，故名。大中十年，梓州刺史柳仲郢內調，義山隨仲郢還朝，道經籌筆驛，因武侯志業不遂，嘆才命之相妨，而有此作㊶。首聯謂籌筆驛猿鳥不近，似仍畏懼諸葛亮當年之軍令，風雲屯聚，又似長久護衛當年之營壘，寓議論於寫景之中，使人懍然想見孔明風烈，次聯言武侯筆畫籌策，指揮若神，而終見後主傳車詣降之事，則當日出師之舉，亦屬徒勞而已；腹聯言諸葛亮以管仲、樂毅自比，固無所忝，而關羽、張飛無命，漢祚終移，其奈之何；結聯追憶大中五年西川推獄經武侯祠廟，作《武侯廟古柏》詩，弔古傷今，深感餘恨無窮。暗示合日經此成此詩亦有同樣感慨。首聯揚，次聯抑，腹聯上句揚下句抑，結聯以宕筆跳開作收，通首沈鬱頓挫，逼近少陵，試與少陵《蜀相》、《詠懷古跡》諸作合觀，當可知之。義山此類其他作品甚多，五古如《有感二首》、《五言述德抒情詩一首四十韻獻上杜七兄僕射相公》，五律如《淮陽路》、《夜飲》、《哭劉司戶蕡》，七律如《隋宮》、《杜工部蜀中離席》、《潭州》、《二月二日》、《安定城樓》諸作，皆神完氣足，憂憤盤鬱，學杜而能得杜之神髓。

以諷切時事而論，義山有《曲江》七律云：

望斷平時翠輦過，空聞子夜鬼悲歌。
金輿不返傾城色，玉殿猶分下苑波。
死憶華亭聞唳鶴，老憂王室泣銅駝。
天荒地變心雖折，若比傷春意未多。

詩成於開成元年，為感甘露事變而作，與《有感二首》及《重有感》同。首聯寫事變後曲江荒涼之景象，往昔君王臨幸之翠輦已不復可見，今日惟聞半夜冤鬼悲歌之聲；次聯承之，因曲江之荒涼進一步抒寫今昔之感，「不返」、「猶分」，其中正寓昇平不再之感慨；腹聯上句借陸機事喻事變中宦官殺戮朝臣，下句借索靖事喻自己憂國之情；結聯作總收，言此事變本身固令人心折，若比我傷春之情則未爲多，「傷春」蓋指憂國之情言。按杜甫有《哀江頭》七古之作，藉曲江今昔之對比抒寫感時憂國之情，義山此詩明顯受其影響，詩之體裁雖異，然其謀篇及諷切時事之精神正復相同也。義山又有《壽安公主出降》五律云：

嬀水聞貞媛，常山索銳師。
昔憂迷帝力，分分送王姬。
事等和強虜，恩殊睦本枝。
四郊多壘在，此禮恐無時。

據《舊唐書》及《新唐書》，成德軍節度使王庭湊恣凶悖，拒天子命，不臣不仁。庭湊死，其次子元逵襲節度，識禮法，歲時貢獻如職，文宗嘉之，開成二年六月丁酉，以王元逵爲駙馬都尉，尙壽安公主。文帝以壽安下嫁，實爲一種安撫手段，蓋恐其如其父之抗拒朝命也。義山此詩即爲此而作，首聯言王元逵以盛兵來迎娶，頷聯上句言王廷湊昔爲亂不知恩德而朝廷不能制之，下句言今其子識禮從命則下嫁王姬乃本分當然之事，「分」字有反諷之意，極爲沈痛，腹聯言此即有似於前朝之和親匈奴，其恩遇之隆遠非爲敦睦宗室所採取之措施可比；結聯跌出正意，言藩鎭甚多，各擁重兵，欲用此公主出降之禮以羈縻之，將無有窮已之時，蓋憂諸道之效尤，而深憤此事之失當也。此詩諷切時事之意亦甚顯然。義山此類反映時事之作品尚多，如《行次西郊作一百韻》及前揭之《有感二首》、《重有感》均是，何義門評《行次西郊作一百韻》云：「此等傑作，可稱詩史，當與少陵《北征》並傳㊃。」其說是也。

七、韓愈

韓愈五、七言古詩造境造言，精神兀傲而氣勢沈酣，筆勢馳驟，在中唐卓然成一大家。義山五古及七古之作頗有效法韓愈者，如《韓碑》詩云：

元和天子神武姿，彼何人哉軒與羲。誓將上雪列聖恥，坐法宮中朝四夷。淮西有賊五十載，封狼生貙貙生羆。不據山河據平地，長戈利矛日可麾。帝得聖相相曰度，賊斫不死神扶持。腰懸相印作都統，陰風慘澹天王旗。愬武古通作牙爪，儀曹外郎載筆隨。行軍司馬智且勇，十四萬衆猶虎貔。入蔡縛賊獻太廟，功無與讓恩不訾。帝曰汝度功第一，汝從事愈宜爲辭。愈拜稽首蹈且舞，金石刻畫臣能爲。古者世稱大手筆，此事不繫於職司，當仁自古有不讓，言訖屢頷天子頤。公退齋戒坐小閤，濡染大筆何淋漓。點竄堯典舜典字，塗改清廟生民詩。文成破體書在紙，清晨再拜鋪丹墀。表曰臣愈昧死上，詠神聖功書之碑。碑高三丈字如手，負以靈鼇蟠以螭。句奇語重喻者少，讒之天子言其私。長繩百尺拽碑倒，粗砂大石相磨治。公之斯文若元氣，先時已入人肝脾。湯盤孔鼎有述作，今無其器存其辭。嗚呼聖皇及聖相，相與烜赫流淳熙。公之斯文不示後，曷與三五相攀追？願書萬本誦萬過，口角流沫古手胝。傳之七十有三代，以爲封禪玉檢明堂基。

此詩爲韓愈《平淮西碑》而作，其惟崇韓碑，重點在肯定韓碑能突出裴度之首功，故詩中一則曰「帝得聖相相曰度」，再則曰「帝曰汝度功第一」，終則曰「聖皇及聖相，相與烜赫流淳熙」，再三致意。蓋宰相是否得人，是爲國家治亂之大關鍵，義山之爲此詩，當係深有感於晚唐政局之混亂及宰執之不得其人也。此詩清新古質，而字奇語重，純以氣行，是學韓而能得其神者，尤與《石鼓歌》之氣息相近，王士禎云：「李義山《韓碑》一篇，直追昌黎㊹。」賀裳曰：「《韓碑》詩亦甚肖韓，髣髴《石鼓歌》氣概，造語更勝之㊺。」類似之評論見於前人著作及詩話者甚多，非一家之私言也。

義山又有《李肱所遺畫松詩書兩紙得四十韻》一篇，亦爲學韓之作，詩云：

萬草已涼露，開圖披古松。青山遍滄海，此樹生何峰？孤根邈無倚，直立撐鴻濛。端如君子身，挺若壯士胸。樛枝勢夭矯，忽欲蟠拏空。又如驚螭走，默與奔雲逢。孫枝擢細葉，旖旎狐裘茸。鄒顛蓐髮軟，麗姬眉黛濃。視久眩目睛，倏忽變輝容。竦削正稠直，婀娜旋甹夆。又如洞房冷，翠被張穹窿。亦若暨羅女，平旦妝顏容。細疑襲氣母，猛若爭神功。燕雀固寂寂，霧露常衝衝。香蘭愧傷暮，碧竹慚空中。可集呈瑞鳳，堪藏行雨龍。淮山桂偃蹇，蜀郡桑重童。枝條亮眇脆，靈氣何由同？昔聞咸陽帝，近說嵇山儂。或著仙人號，或以大夫封。終南與清都，煙雨遙相通。安知夜夜意，不起西南風？美人昔清興，重之猶月鍾。寶笥十八九，春緹千萬重。一旦鬼瞰室，稠疊張羉罿。赤羽中要害，是非皆怱怱。生如碧海月，死踐霜郊蓬。平生握中玩，散失隨奴僮。我聞照妖鏡，及與神劍鋒，寓身會有地，不爲凡物蒙。伊人秉茲圖，顧眄擇所從。而我何爲者，開懷捧靈蹤。報以漆鳴琴，懸之眞珠櫳。是時方暑夏，座內若嚴冬。憶昔謝駟騎，學仙玉陽東。千株盡若此，路入瓊瑤宮。口詠玄雲歌，手把金芙蓉。濃靄深霓袖，色映琅玕中。悲哉墮世網，去之若遺弓。形魄天壇上，海日高曈曈。終期紫鸞歸，持寄扶桑翁。

此詩因李肱贈畫松而作，首段自開圖覽畫入手，逐層描寫畫中古松之姿態，自「孤根邈無倚」以下十二句分賦古松之本幹及枝葉，極力刻畫，反復形容。紀昀以爲規仿昌黎，其說甚諦㊻，入後由畫松而眞松，兼以松自喻喻他，層層唱歎，則由昌黎而力追少陵，與少陵《韋諷錄事宅觀曹將軍畫馬圖》一章意境相似矣。

義山學韓較明顯之作，此外尚有《安平公詩》及《偶成轉韻七十二句贈四同舍》等。大概言之，義山五、七言古體，或規摹昌黎，或力追少陵，或兼資杜韓。部分則效法長吉，容於下文詳之。

八、韓翃

義山集中有《韓翃舍人即事》一首，詩云：

蘐草含丹粉，荷花抱綠房。
鳥是悲蜀帝，蟬是怨齊王。
通內藏珠府，應官解玉坊。

橋南荀令過，十里送衣香。

按題曰《韓翃舍人即事》，意即擬韓翃舍人而爲《即事》之篇，製題之例，與《杜工部蜀中離席》同。韓翃爲大曆十才子之一，以「春城無處不飛花」一詩爲唐德宗所賞，其詩古意內含，色澤濃妙，喜用典實而深於比諷，凡此均與義山詩風接近，故義山有取之也。以此詩而言，次句以下皆有典實，而「萋草」、「丹粉」、「荷花」、「綠房」及「珠府」、「玉坊」之類，設詞亦復倩麗。至於詩中內容，似爲觸景生情，感慨沈滯之作，而含蓄婉轉，意在言外，與韓舍人之長於託諷，似亦不無關係，然則義山規擬之意，倘即在此歟！

九、沈下賢

義山集中有《擬沈下賢》一首，詩云：

千二百輕鸞，春衫瘦著寬。
倚風行稍急，含雪語應寒。
帶火遺金斗，兼珠碎玉盤。
河陽看花過，曾不問潘安。

按沈亞之字下賢，曾遊韓昌黎車下，工於文辭，擅長傳奇，多寫離奇夢幻之故事，詩亦奇奧。《全唐詩》收其古近體二十五首㊼。義山此詩爲艷體，首聯謂衆艷粉呈；次聯用飛燕及郢雪事，分寫衆艷之歌舞；腹聯寫其嬌憨得寵之狀；結聯謂其莫肯我顧。全詩之刻鏤處似沈下賢，至詩中感寓之意，則未詳也㊽。

十、李賀

義山集中有《效長吉》一首，是自言規摹李賀之作，詩云：

長長漢殿眉，窄窄楚宮衣。

鏡好鸞空舞，簾疏但誤飛。

君王不可問，昨夜約黃歸。

按李長吉詩尙奇詭，組織花草，片片成文，所得皆驚邁，絕去翰墨畦徑。杜樊川序其詩，有「雲煙綿聯，不足爲其態也；水之迢迢，不足爲其情也；春之盎盎，不足爲其和也；秋之明潔，不足爲其格也；風檣陣馬，不足爲其勇也；瓦棺篆鼎，不足爲其古也；時花美女，不足爲其色也；荒國陊殿，梗莽丘隴，不足爲其怨恨悲秋也；鯨呿鰲擲，不足爲其虛荒誕幻也。蓋騷之苗裔，意雖不足，辭或過之。」論者以爲知言㊾。義山此首《效長吉》詩，爲五言小律，起首二句言其妝飾，末後四句言其獨居幽怨。由其詩意觀之，當是戲效長吉宮體小詩，如《追賦畫江潭苑四首》及《馮小憐》之類，其風格之峭艷，亦復相同。義山效法長吉之作，除此之外，集中尙復不尟，尤以古體爲多，如《海上謠》、《房中曲》、《宮中曲》、《和鄭愚贈汝陽王孫家箏妓二十韻》、《景陽宮井雙桐》、《射魚曲》、《燕臺四首》、《河陽詩》、《河內詩二首》、《燒香曲》等作，皆經前人指出爲效法長吉體者，其中《海上謠》以下五首爲五言，《射魚曲》以下五題共九首爲七言。

義山之規擬李賀，至少可從兩方面考察，一爲意境之虛荒誕幻，一爲語言之奇詭險麗，如《燕臺四首》云：

風光冉冉東西陌，幾日嬌魂尋不得。蜜房羽客類芳心，冶葉倡條遍相識。暖藹輝遲桃樹西，高鬟立共桃鬟齊。雄龍雌鳳杳何許？絮亂絲繁天亦迷。醉起微陽若初曙，映簾夢斷聞殘語。愁將鐵網罥珊瑚，海闊天翻迷處所。衣帶無情有寬窄，春煙自碧秋霜白。研丹擘石天不知，願得天牢鎖冤魄。夾羅委篋單綃起，香肌冷襯琤琤珮。今日東風自不勝，化作幽光入四海。

右春

前閣雨簾愁不卷，後堂芳樹陰陰見。石城景物類黃泉，夜半行郎空柘彈。綾扇喚風閶闔天，輕帷翠幕波洄旋。蜀魂寂寞有伴未？幾夜瘴花開木棉。桂宮流影光難取，嫣薰蘭破輕輕語。直教銀漢墮懷中，未遣星妃鎮來去。濁水清波何異源？濟河水清黃河渾。安得薄霧起緗裙，手接雲軿呼太君？

右夏

月浪衡天天宇濕，涼蟾落盡疏星入。雲屏不動掩孤嚬，西樓一夜風箏急。欲織相思花寄遠，終日相思卻相怨。但聞北斗聲迴環，不見長河水清淺。金魚鎖斷紅桂春，古時塵滿鴛鴦茵。堪悲小苑作長道，玉樹未憐亡國人。瑤瑟愔愔藏楚弄。越羅冷薄金泥重。簾鉤鸚鵡夜驚霜，喚起南雲繞雲夢。雙璫丁丁聯尺素，內記湘川相識處。歌脣一世銜雨看，可惜馨香手中故。

右秋

天東日出天西下，雌鳳孤飛女龍寡。青溪白石不相望，堂中遠甚蒼梧野。凍壁霜華交隱起，芳根中斷香心死。浪乘畫舸憶蟾蜍，月娥未必嬋娟子。楚管蠻絃愁一概，空城罷舞腰支在。當時歡向掌中銷，桃葉桃根雙姐妹。破鬟倭墮淩朝寒，白玉燕釵黃言蟬。風車雨馬不持去，蠟燭啼紅怨天曙。

右冬

此四章前人解說分歧，程夢星、馮浩諸人以爲艷情之作，眞寫風懷[23]，當爲近是。四章分春、夏、秋、冬，蓋仿《子夜四時歌》之義而變其格調，詩寫幽憶怨斷之情，哀感頑艷，語僻而情遙。此種詩，無論其竟境之虛荒誕幻及語言之奇詭險麗，皆不下於李賀，是集中規摹李賀諸作中之極品，可貴在學李賀而能遺貌取神，無生吞活剝之跡，張爾田云：「玉谿生此種數篇，凡長吉已用之典，一概不用，而獨取未經人道者探尋用之。且語語運以沈思，出之奇筆，讀之如異書古刻，光怪五色，不可逼視，如此方能與長吉代興，如此方許其學長吉之詩[24]。」洵爲有見之言。若就第二義以求，專論形跡，則李賀喜用之字如「啼」、「淚」、「笑」、「淺」、「死」、「龍」等字，亦常見於義山詩中，義山學李賀，即此一端亦可概見，錢鍾書云：「長吉好用『啼』、『泣』等字，……義山學昌谷，深染此習，如『幽淚欲乾殘菊露』、『湘波如淚色漻漻』、『夭桃惟是笑』、『蠟燭啼紅怨天曙』、『薔薇泣幽素』、『幽蘭泣露新香死』、『殘花啼露莫留春』、『鶯啼花又笑』、『鶯啼如有淚」、「留淚啼天眼」、「微香冉冉淚涓涓」、「強笑欲風天」、「卻擬笑春風」，皆昌谷家法也[52]。」其說自是。惟此等字，亦要用之得當，且須榦之以風力，斯成合作，否則只是掇拾其字面，敷衍成章，徒具優孟衣冠，而無昌谷之神情器度，將流於下劣詩魔。以義山之高才，又與昌谷同祖《騷》、《辯》，其學昌谷自優爲之，故能得其奇詭波峭而時有出藍之致，論者謂「唐人能學長吉者首推玉谿[53]。」非虛語也。

參、結論

前文分十節論述義山詩之淵源，皆證諸具體詩篇，明其所以，從知義山之詩於前人取資者博。然所貴於法古者，在能鎔鑄變化，以成一家之面目，凡百藝事皆然，不獨於詩也。義山由其綺才豔骨，當其規摹古人時，往往欲凌而上之，時則鼓之以洪鑪，寖成自家之風貌，張爾田云：

> 玉谿古體雖多學長吉，然長吉語意峭豔，至於命篇，尚不脫樂府本色，義山宗其體而變其意，託寓隱約，恍惚迷幻，尤駕昌谷而上之，眞《騷》之苗裔也。視錦囊中語，青出於藍，後人不得相提並論也。[54]

張氏謂義山學長吉，往往「宗其體而變其意」，此語大爲知言。且不僅於長吉詩爲然也，義山之效漢魏、六朝樂府及齊梁體亦復如此，漢、魏、六朝樂府如《子夜歌》等及齊、梁宮體，多直賦本事，其寫男女艷情別無寄託，義山效之，則往往變賦爲比，以喻寫他事，或借攄身世之慨，此亦即張氏所謂

「宗其體而變其意」也。若玉谿生「昨夜星辰」、「來是空言」、「鳳尾香羅」、「重幃深下」等《無題》及《碧城三首》諸作則飛騰滅跡，毛髓盡化，不復能指其所自矣。必如此，方可謂善學古人，故特拈出此意，以爲茲文之殿。

【附　註】

㈠見《談藝錄訂補》。
㈡《詩三百篇》所收作品以黃河流域爲主，《楚辭》所收作品以長江流域爲主，分別代表北方及南方之文學。
㈢見錢謙益爲朱鶴齡《李義山詩集箋注》本所撰原序。
㈣見朱竹垞《靜志居詩話》引。
㈤見《鶴林玉露》。
㈥見中文版《李義山詩集箋注》三九一頁。
㈦見《論李義山詩》，收開明版《詩詞散論》五七頁至五八頁。
㈧同㈦五八頁至六〇頁。
㈨見《李義山詩辨正》，中華版《玉谿生年譜會箋》三四九頁。
㈩見《論李義山詩》，開明版《詩詞散論》六〇頁。
⑪見何焯《義門讀書記》引。

⑫見《覘齋詩談》卷五。

⑬見中文版《李義山詩集箋注》三八六頁。

⑭見學生版《李義山詩集》四四三頁。

⑮《詩家直說》云：「古詞曰：『黃蘗向春生，苦心隨日長。』又曰：『霧露隱芙蓉，見蓮不分明。』又曰：『石闕生口中，銜碑不得語。』又曰：『菖蒲花可憐，聞名不相識。』又曰：『桑蠶不作繭，晝夜長懸絲。』又曰：『理絲人殘機，何悟不成匹。』又曰：『桐枝不結花，何由得梧子。』又曰：『殺荷不斷藕，蓮心已復生。』此皆吳格，指物借意。李義山曰：『春蠶到死絲方盡，蠟炬成灰淚始乾。』劉禹錫曰：『東邊日出西邊雨，道是無情卻有情。』措詞流麗，酷似六朝。」可參。其所引古詞，皆南朝樂府小詩也。

⑯見廣文版《李義山詩集箋注》六九八頁。

⑰屈復、馮浩、紀昀並有類似之說，可參。屈說見正大版《玉谿生詩意》六〇頁，紀說見里仁版《玉谿生詩集箋注》四一六頁。紀說見《玉谿生詩說》。

⑱此參用劉學鍇及余恕誠說，見中華版《李商隱詩歌集解》八七四頁。

⑲見《四友齋叢說》。

⑳紀昀云：「齊即所謂永明體，梁即所謂宮體，後人總謂之齊梁體，玉谿詩有《齊梁晴雲》是也。」其說可參，見《刪正二馮評閱才調集》。

㉑紀昀說「齊梁體」之特點云：「其體於對偶之中時有拗字，乃五言律之變而未成，喜儷新字而乏性情，喜作艷詞而乏風旨。」可參。見同上。

㉒紀昀評此詩云：「略有齊、梁意味，然非齊、梁之佳作。」見《李義山詩集輯評》卷中。

㉓馮浩曰：「齊梁體爲變古入律之漸，今就其粗跡論之，排偶多而散行少也，采色濃而澹語鮮也。分句言之，有律句焉，有古句焉；合一章言之，上下不相黏綴也。」其說甚是。見里仁版《玉谿生詩集箋注》六七九頁。

㉔此詩已見前引何良俊語中。

㉕見《蔡寬夫詩話》。

㉖見《石林詩話》。

㉗後詩題字有擬字，意甚瞭然，前詩題中並擬字而省去之，朱鶴齡注曰：「此擬杜工部體也。」其說是。

㉘薛雪曰：「老杜善用『自』字，……李義山『青樓自管絃』、『秋池不自冷』、『不識寒郊自轉蓬』之類，未始非無無窮感慨之情，所以直登老杜之堂，亦有由矣。」此參用其說。見《一瓢詩話》。

㉙見《談藝錄》。

㉚題目《昭郡》，「郡」一作「州」。

㉛馮浩《玉谿生年譜》及張爾田《玉谿生年譜會箋》皆繫此詩於大中二年。

㉜見《李義山詩辨正》。

㉝屈復評此詩云：「前景後情，杜詩多如此。」此參用其說。見正大版《玉溪生詩意》一八三頁。

㉞此詩張爾田未繫年，今從馮浩《玉谿生年譜》。

㉟見中文版《李義山詩集箋注》一八四頁。

㊱此從張爾田《玉谿生年譜會箋》說。馮浩定爲大中四年。

㊲陸崑曾云：「『笑倚牆邊梅樹花』，淡語意味卻自深長，與老杜『雞蟲得失無了時，注目寒江倚山閣』同一杼軸」。

㊳此從張爾田《玉谿生年譜會箋》說，馮浩定爲大中三年。

㊴此參用何義門說。見《輯評李義山詩集箋注》。

㊵《有感二首》自注云：「乙卯年有感，丙辰年詩成。」乙卯年爲太和九年，翌年丙辰，改元開成。

㊶此從張爾田《玉谿生年譜會箋》說。馮浩定爲大中六年。

㊷此參用劉學鍇及余恕誠說，見《李商隱詩歌集解》一三八至一三九頁。

㊸見《義門讀書記》。

㊹見《古詩箋·七言詩凡例》。

㊺見《載酒園詩話》又編。

㊻見《輯評李義山詩箋注》

㊼見卷四百九十三。

㊽參用張爾田說，見《玉谿生年譜會箋》二〇三頁。

㊾劉克莊曰：「長吉歌行，新意險語，自有蒼生以來所無。樊川一序，極騷人墨客之筆力，盡古今文章之變態，非長吉不足以當之。」見《後村詩話、新集》六。

㊿程說見廣文版《李義山詩集箋注》六二二頁，馮說見里仁版《玉谿生詩集箋注》六三九頁。

(51)見《李義山詩辨正》。

(五二)見《談藝錄》。

(五三)張爾田說，見《李義山詩辨正》。

(五四)見《李義山詩辨正》。

參考書目

壹、專著

《李義山詩集輯評》　朱鶴齡箋注　沈厚塽輯評　學生書局

《李義山詩集箋注》　姚培謙箋注　中文出版社

《李義山詩集箋注》　程夢星箋注　廣文書局

《玉谿生詩集箋注》　馮　浩箋注　里仁書局

《玉谿生詩意》　屈　復　正大印書館

《西崑發微》　陸崑曾　學海出畈社

《玉谿生詩說》　紀　昀　藝文印書館

《李義山詩偶評》　黃　侃　學海出版社

《李義山詩辨正》　張爾田　《玉谿生年譜會箋》附錄　中華書局

《李商隱評論》　顧翊群　中華詩苑
《李商隱和地的詩》　朱偰等　學生書局
《玉谿詩謎》　蘇雪林　商務印書館
《李義山詩析論》　張淑香　藝文印書館
《李商隱研究》　吳調公　上海古籍出版社
《李商隱詩論稿》　藍　于　中華書局
《李商隱詩研究》　黃盛雄　文史哲出版社
《李商隱詩箋辭方法論》　顏崑陽　學生書局
《李商隱詩集箋注》　葉蔥奇　里仁書局
《李商隱詩歌集解》　劉學鍇、余恕誠　中華書局
《李商隱評傳》　楊　柳　木鐸出版社
《樊南文集》　馮浩詳注　上海古籍出版社
《樊南文集補論》　錢振倫、錢振常箋注　上海古籍出版社
《玉谿生年譜會箋》　張爾田　中華書局
《玉谿生年譜會箋質疑》　岑仲勉　《玉谿生年譜會箋》附錄　中華書局
《舊唐書》　劉　昫等　鼎文書局

《新唐書》　歐陽修等　鼎文書局
《資治通鑑》　司馬光　世界書局
《通鑑隋唐紀比事質疑》　岑仲勉　九思出版社
《唐會要》　王　溥　世界書局
《唐六典》　《四庫全書》本　商務印書館
《文獻通考》　馬端臨　新興書局
《登科記考》　徐　松　中華書局
《讀史方輿紀要》　顧祖禹　樂天書局
《唐人行第錄》　岑仲勉　九思出版社
《唐史餘瀋》　岑仲勉　弘文館出版社
《唐集質疑》　岑仲勉　《唐人行第錄》附錄　九思出版社
《唐僕尚丞郎表》　嚴耕望　中研院史語所
《唐摭言》　王定保　世界書局
《唐語林》　王　讜　世界書局
《唐國史補》　李　肇　世界書局
《雲溪友議》　范　攄　世界書局

《酉陽雜俎》　段成式　源流出版社
《春明退朝錄》　宋敏求《百川學海》本　藝文印書館
《夢溪筆談》　沈　括　世界書局
《長安志》　宋敏求《經訓堂叢書》本　藝文印書館
《太平廣記》　李　昉　新興書局
《毛詩正義》　孔穎達　藝文印書館
《楚辭集注》　朱　熹　藝文強書館
《全唐詩》　清聖祖敕定　文史哲出版社
《唐詩紀事》　計有功　中華書局
《全唐文》　董誥等奉敕編　文友書局
《唐才子傳》　辛文房　文津出版社
《苕溪漁隱叢話》　胡　仔　長安出版社
《詩人玉屑》　魏慶之　九思出版社
《唐音癸籤》　胡震亨　木鐸出版社
《歷代詩話》　鍾嶸等　藝文印書館
《續歷代詩話》　孟棨等　藝文印書館

《清詩話》　王夫之等　明倫出版社
《清詩話續編》　毛先舒等　上海古籍出版社
《百種詩話類編》　臺師靜農主編　藝文印書館
《石遺室詩話》　陳　衍　商務印書館
《詩言志辨》　朱自清　開明書店
《談藝錄》　錢鍾書　學海出版社
《寥音閣詩話》　俞大綱　幼獅文化事業有限公司

單篇論文

〈論李義山詩〉　繆鉞　《詩詞散論》所收　開明書店
〈李商隱詩之淵源及其發展〉　勞榦　《幼獅學報》一卷二期
〈李商隱詩探微〉　孫甄陶　《新亞學報》四卷二期
〈李商隱之詩及其風節〉　曾克耑　《文學世界》二十五期
〈論李義山詩〉　金達凱　《民主評論》十二卷二十三期
〈李商隱詩評析〉　劉若愚　《清華學報》七卷二期
〈義山詩的傷時與自傷〉　孫克寬　《東方雜誌》三卷九期
〈李商隱的詠史詩〉　方　瑜　《中外文學》五卷一、二期

〈論「象外象、景外景」兼談晚唐二李詩〉　陳曉薔　《現代學苑》一卷二期
〈李商隱寺中的視覺意象〉　姚一葦　《中華文化復興月刊》四卷五期
〈李商隱詩的境界〉　劉若愚著、方瑜譯　《幼獅》三十七卷一期
〈自月意象的嬗變論李義山的月世界〉　陳器文　《中外文學》五卷二期
〈比較與翻案——論義山七律末聯的深一層法〉　陳文華　《中國文化復興月刊》十一卷二期
〈從美感經驗說試探義山詩〉　歐陽炯　《大陸雜誌》六十六卷二期
〈李商隱戀愛事跡考辨〉　陳貽焮　《文史》第六輯
〈李商隱與牛李黨爭〉　李中華　《文史》第十七輯
〈李商隱江鄉之游考辨〉　葛曉音　文史》第十七輯

拾、李義山詩辨僞

傳世詩人別集，往往有闌入他人作品之例。今行《李義山詩集》凡收詩六百餘首，其中亦有本係他人之作而誤收者，前人已頗言之，其中尤可疑者凡有八首，茲分別考辨如下：

一、《送從翁東川弘農尚書幕》

五言排律，詩云：

昔帝迴沖眷，維皇惻上仁。三靈迷赤氣，萬彙叫蒼旻。刊木方隆禹，升陑始創殷。夏臺曾圮閉，汜水敢逡巡！拯溺休規步，防虞要徙薪。烝黎今得請，宇宙昨還淳。纘祖功宜急，貽孫計甚勤。降災雖代有，稔惡不無因。宮掖方爲蠱，邊隅忽遘屯。獻書秦逐客，間諜漢名臣。北代將誰使？南征決此辰。中原重板蕩，玄象失勾陳。詰旦違清道，銜枚別紫宸。茲行殊厭勝，故老遂分新。去異封於鞏，來寧避處豳。永嘉幾失墜，宣政遽酸辛。元子當傳啓，皇孫合授詢。時非三揖讓，表請再陶鈞。舊好盟還在，中樞策屢遵。蒼黃傳國璽，違遠屬車塵。雒虎如憑怒，漦龍性漫馴。封崇自何等？流落乃斯民。逗撓官軍亂，優容敗將頻。早朝披草莽，夜縋達絲綸。忘戰追無及，長驅氣益振。婦言終未易，廟略況非神。日馭難淹蜀，星旄要定秦。人心誠未去，天道亦無親。錦水湔雲浪，黃山掃地春。斯文虛夢鳥，吾道欲悲麟。斷續殊鄉淚，存亡滿席珍。魂銷季羔竇，衣化子張紳。建議庸何所？通班昔濫臻。浮生見開泰，獨得詠汀蘋。

按朱鶴齡《李義山詩集箋注》（以下簡稱朱本）。姚培謙《李義山詩集箋注》（以下簡稱姚本）、程夢星《李義山詩集箋注》（以下簡稱程本）、屈復《玉谿生詩意》（以下簡稱屈本）、《全唐詩》卷五有四十一《李商隱三》皆作是題，朱本暨程本收《集外詩》，姚本收入卷八《五排》，屈本收入卷八《五言排律》。馮浩《玉谿生詩集箋注》收入卷三。案此詩極可疑，蓋他人之作誤收入《義山詩集》者。義山集中另有《送從翁從東川弘農尚書幕》之作㈠，亦為五言長律，題中之「弘農尚書」為楊汝士，開成元年十二月檢討禮部尚書、東川節度使。至於題中之「送翁」為誰，則無從確考，馮浩據詩中多敘遊山學仙之事，疑此「從翁」嘗與義山同居玉陽，似為近之。今《集外詩》中此篇，舊本皆題曰《送從翁東川弘農尚書幕》㈡，持與前作相較，惟於「從翁」下少一「從」字，餘字悉同。可疑者一也。此詩凡三十四韻，詳考內容，皆敘安、史之亂時事，與題意了不相涉，可疑者二也。此詩結語云：「建議庸何所，通班昔濫臻。浮生見開泰，獨得詠汀蘋。」前二句言已嘗側身於朝班，是追昔；後二句言若逢亂定國泰，得優游而詠汀蘋，亦所甚幸，是傷今。據前二句，是作者於安、史亂前已嘗供職朝廷；據後二句，是作者撰此詩時安、史亂事尚未平定。此皆與義山身世大相逕庭，此尤可疑者三也。然則此詩非義山之作，蓋可確認。馮浩先已疑之，乃又曰「或自借詠舊事以抒才藻」，作不定之辭。案「借詠舊事」之詩，仍應有作者之身分在，不合剌謬若此，馮氏此說實甚牽強也。

二、《赤壁》

七絕，詩云：

折戟沈沙鐵未銷，自將磨洗認前朝。
東風不與周郎便，銅雀春深鎖二喬。

按此詩朱本暨程本皆收入《集外詩》，姚本收入卷十六《七絕》，屈本收入卷七《七絕》，馮本收入卷三。《全唐詩》卷五百四十一《李商隱三》亦收此詩，題下注云：「此詩又見《杜牧集》。」

案：此詩亦見《樊川文集》卷四㊂，當是小杜詩無疑，義山集蓋誤收，理由如下：《彥周詩話》云：「杜牧之作《赤壁》詩云云，意謂赤壁不能縱火，爲曹公奪二喬置之銅雀台上也。孫氏霸業繫此一戰，社稷存亡，生靈塗炭，都不問，只恐捉了二喬，可見措大不識好惡。」㊃其議論固迂，不慊詩人言近旨遠之意，本不足取；然以此詩屬諸杜牧，則深可注意。許書成於南宋建炎二年（西元一一二八年），足見以此詩爲杜牧作品，在南宋初牛蓋爲定論。據馮定遠云：「《赤壁》至《定子》四首，北宋本不載，南宋本始有之。㊄」又知錢若水輯義山詩時原無《赤壁》一詩㊅，此詩之闌入《義山詩集》，始於南宋本，不得早於《彥周詩話》成書時，此其一。小杜詩豪邁，義山詩沈著，二家風格迵殊，觀此詩豪氣淩空，殊非義山一色筆墨，此其二。義山詠史之作偏好亡國破家之題材，故所詠以南北朝事爲多，三國時事雖亦偶見，惟多致憾於諸葛北代之未就，是取歷史恨事以寓教訓，亦義山詠史特色之一。《赤壁》詩幸周瑜之成功，此種詠史主題爲義山所希有，此其三。據上三點，故定此詩爲杜牧之作，義山集乃誤收。

三、《迷阿龜歸華》

七絕，詩云：

草堂歸意背煙籮，黄綬垂腰不奈何。
因汝華陽求藥物，碧松根下茯苓多。

按此詩朱本暨程本皆收入卷下，姚本收入卷十六《七絕》，屈本收入卷七《七言絕》，《全唐詩》收入卷五百四十一《李商隱三》，馮本收入卷三。馮浩疑此詩爲白居易之作，誤收於此。案：馮說是，理由如下：據題意及詩意，似作者有家在華州，久有歸意而未能即歸，以官職羈絆之故。而「阿龜」則爲作者之親族晚輩。今遍考義山詩文，未見《阿龜》其人，且義山爲懷州人，與華州無涉。此其一。此詩之詩意淺露，尤其次句「黄綬垂腰不奈何」殊乏蘊籍，與義山詩之風格意境大不類，此其二。白居易爲下邽人，下邽爲華州之屬縣。又白居易有姪曰「龜郎」，爲白居易弟白行簡之子。「龜郎」亦或呼「龜兒」及「阿龜」，白居易有《見小侄龜兒詠燈詩並臘娘製衣因寄行簡》㊆、

《和元微之晨興因報問龜兒》⑧、《路上寄銀匙與阿龜》⑨等詩。凡此均與此詩之內容相符。且此詩之風格意境亦於白居易爲近。此其三。然則此詩蓋即白居易送其侄龜郎歸華州之作，編者誤收。

四、《清夜怨》

五律，詩云：

含淚坐春宵，聞君欲度遼。
綠池荷葉嫩，紅砌杏花嬌。
曙月當窗滿，征雲出塞遙。
畫樓終日閉，清管爲誰調？

按此詩朱、程二本皆收入《集外詩》，姚本收入卷五《五律》，屈本收人卷三《五律》，《全唐詩》卷五百四十一收入《續新添詩》，馮本收入卷三。紀昀、馮浩皆疑此詩爲僞作⑩。今案北宋本義山集不載此詩⑪，知錢若水輯義山詩蓋無此作。且詳味詩意，只是抒寫征婦之怨耳，辭盡而義亦盡，更無深意，用意運筆確與義山不類，紀、馮二家說可從。

五、《定子》

七絕。詩云：

檀槽一抹廣陵春，定子初開睡臉新。
卻笑喫虛隋煬帝，破家亡國爲何人？

按此詩朱本、程本皆收入《集外詩》，姚本收入卷十六《七絕》，屈本收入卷七《七絕》，《全唐詩》卷五百四十一收入《續新添詩》，馮本收入卷三。案：此詩亦見杜牧《樊川外集》㊁，紀昀、程夢星、馮浩皆以爲杜牧之作，其說可從，理由如下：北宋本《李義山集》不載此詩，南宋本始有之，而蜀韋縠《才調集》已收此詩爲杜牧之作㊂，此其一。此詩辭氣豪縱，意旨淺露，風格與杜牧爲近，試與牧之《題桃花夫人廟》㊃等詩比勘，可知其中消息。而與義山沈鬱之風格，殊爲懸絕。此其二。據《樊川外集》，此詩次句作「定子當筵睡臉新」，又題下自注云：「定子，牛相青衣」。牛僧孺鎮淮南，牧之嘗爲掌書記，人事皆合，此詩蓋其時所作。若從《義山集》次句作「定子初開睡臉新」，句意遂不可解。又《樊川外集》此詩第三句「喫虛」作「丘墟」，義亦較勝。此其三。

六、《遊靈伽寺》

七絕。詩云：

碧煙秋寺汎湖來，水打城根古堞摧。
盡日傷心人不見，石楠花滿舊琴臺。

按此詩朱本、姚本、屈本未收。程本收《集外詩》，《全唐詩》卷五百四十一收入《續新添詩》，馮本收入卷三。案：此詩原不載於《義山集》，胡震亨《唐音戊籤》始收此爲義山之作，程、馮諸本及《全唐詩》遂據以增入。然此詩亦見許渾《丁卯集》[15]，題目作《題靈伽寺》。考靈伽寺在吳郡橫山下，琴臺在靈巖，皆吳郡古蹟。義山是否有吳、越之遊，未可核斷；而許渾則在吳中甚久，《丁卯集》中除此詩外，其他如《姑蘇懷古》、《再遊姑蘇玉芝觀》、《吳門送客早發》、《自楞伽寺晨起汎舟道中有懷》、《將歸姑蘇南樓餞送李明府》等在吳之詩甚多，足覘其蹤跡。據此而斷，此詩係屬許渾之作甚有可能。且此詩格調豪麗，亦於許丁卯爲近，而與義山之沈著含蓄相遠，亦一證也。

七、《龍邱道中二首》

五絕。詩之前章云：

漢苑殘花別，吳江盛夏來。
惟看萬樹合，不見一枝開。

次章云：

水色饒湘浦，灘聲怯建溪。
淚流迴月上，可得更猿啼？

按此詩朱本、姚本、屈本皆未收。程本收《集外詩》，《全唐詩》卷五百四十一收入《續新添詩》，馮本收入卷三。案：此詩原不載於《李義山集》，胡震亨《唐音戊籤》始收此爲義山之作，諸本蓋據以增入。程本、馮本雖皆收此詩，然並疑非義山之作，馮曰：「詩亦見《戊籤，牧之集》，牧之曾刺睦州，固近衢州矣。玩詩意是春末發京師，五六月至龍邱。合之義山遊蹤，更不可符，恐牧之亦未必是，筆趣皆不類。《萬首絕句》五言牧之二十七首亦無此。㈥」考《四部叢刊》所據明刊本《樊川文集》已有此詩㈦，則是否爲小杜詩雖不可知，然非義山之作，據行蹤及詩風蓋可斷定也。

【附　註】

㈠朱本及程本皆收於卷下，姚本收於卷七《五律》，馮本收於卷一。
㈡胡震亨曰：「舊本題作《送從翁東川弘農尚書幕》，今詳詩意，似誤，改標《失題》。」據此，知胡氏所見舊本悉同也。
㈢見商務版《四部叢刊》本頁四十八。
㈣見藝文版《歷代詩話》頁二三一。
㈤馮注引，見里仁版《玉谿生詩集箋注》頁七六八。
㈥錢若水嘗捃拾纂輯義山詩，見江少虞《皇宋事實類苑》卷三十四引《湘山野錄》。
㈦見《白氏長慶集》卷二十四，里仁版頁五五二。
㈧見《白氏長慶集》卷二十二，里仁版頁四八七。

(九)見《白氏長慶集》卷二十，里仁版頁四三〇。

(一〇)紀說見沈厚塽輯評《李義山詩集》引，學生版頁五五八。馮說見里仁版馮本頁七七一。

(一一)同註五。

(一二)見商務版《四部叢刊》本頁一八二。

(一三)見卷四〇，商務《四部叢刊》四七頁。

(一四)杜牧《題桃花夫人廟》詩云：「細腰宮裡露桃新，脈脈無言度幾春，至竟息亡緣底事，可憐金谷墜樓人。」

(一五)見《丁卯集》卷上，商務《四部叢刊》本頁二十四。

(一六)見里仁版馮本頁七七四。

(一七)收《樊川外集》中，見商務《四部叢刊》本一八一。

參考書目

《李義山詩集輯評》　沈厚塽　學生書局

《李義山詩集箋注》　姚培謙　中文出版社

《李義山詩集箋注》　程夢星　廣文書局

《玉谿生詩集箋注》　馮　浩　里仁書局

《玉谿生詩意》 屈復 華正書局
《李商隱詩集箋注》 葉蔥奇 里仁書局
《李商隱詩歌集解》 劉學鍇等 中華書局
《樊南文集》 馮浩詳注 中華書局
《樊南文集補編》 錢振倫等箋注 中華書局
《玉谿生年譜會箋》 張爾田 中華書局
《全唐詩》 清聖祖敕定 明倫出版社
《白氏長慶集》 白居易 商務印書館
《丁卯集》 許渾 商務印書館
《樊川文集》 杜牧 商務印書館
《歷代詩話》 鍾嶸等 藝文印書館
《皇宋事實類苑》 江少虞 中文出版社

附錄一

論江兆申先生詩

一

斯文命脈神州繫，失喜逢君眼爲開。
腕下何施非妙得，人中幾見此清才。
廣文三絕功寧讓，藝事千秋澤未來。
志士未應愁苜宿，星光熠熠耀靈臺。

如所周知，江兆申先生資稟高絕，博通多能，於詩文書畫金石無所不精，前面所引的是梁寒操贈江先生一首七律，詩中說「失喜逢君眼爲開」，又說「人中幾見此清才」，可見梁氏對江先生的推重。腹聯用了鄭虔三絕的故事，稱許江先生在詩書畫三方面的成就，可謂愜當，非泛泛用典之比。詩作於民國五十四年夏，其時江先生執教於北市成功中學，生事偃蹇，故詩中有「藝事千秋澤未來」及「志士未應愁苜蓿」之句。是年五月，江先生假北市中山堂舉行書畫個展，一時椽筆題詠甚多，如李師漁叔詩云：「獨從金石出芳新，畫苑詞場兩絕倫。夢醒文通才盡後，景純奪筆與斯人。」江絜生詩云：「畫境詩心兩軼群，天留年少領斯文。嗟余老去才堪盡，賸把生花筆贈君。」諸家除了贊揚江先生的畫以外，也都取先生的詩相提並論。足見江生生的詩造詣甚高，甚至不亞於繪事方面的成就，故能贏得並世騷壇的一致推許。

談到江先生的詩，就必須說一說先生的家學淵源及師承。先生於民國十四年出生於安徽歙縣，門第清華，雙親皆擅文墨，先生幼承家學，並曾先後從三舅方叔甫及邑人吳仲清受讀，又蒙江西興國學人郭鑑存爲之改文，及鮑倬雲先生錄爲詩弟子。十三歲爲邑人許承堯鈔補《杜工部草堂詩集》，許承堯號疑庵，爲歙縣有名之詩人，其詩幽深奇峭，學昌黎、東野能入其室，尤工於五言選體，曾有詩贈先生，詩中有「亭亭擢奇秀」之句。是知先生幼年即嶷然穎發，顯得與儕輩不同。民國三十八年，先生渡海來臺，次年，先生寫信給溥心畬先生求錄爲弟子，心畬先生的覆書有「觀君文藻翰墨，求之當世，眞如星鳳」及「讀君來詩，取徑至高，擇言至雅」等語，並云：「倘有時來此，至願奉接談論。」先生天分既高，螢窗又勤，年雖未及三十，其詩文已卓然有成，故能邀老輩之青眼如此。春秋迭代，此事距今便已四十餘年。四十年來，世事變化，先生所更非一，詩作的功力亦與時間及閱歷俱進，詩風由蒨麗溫雅漸歸於波瀾老成，持較當年，呈現的又是另一種圓熟境界了。

二

江先生渡海以前的詩多不存。自三十八年來臺後，先在基隆任教職，民國四十六年，自基隆移教宜蘭；四十八年，自宜蘭移臺北市就幕；五十四年，供職故宮博物院，一直到八十年從故宮副院長退職。其間曾於五十八年應美國國務院之邀，赴美研究一年。此前後四十餘年來的詩作，似可畫分爲四個時期：四十八年以前是第一個時期，四十九年至五十七年是第二個時期，五十八年至五十九年是第三個時期，六十年以後迄今是第四個時期。

第一個時期的詩，《獅頭山紀游詩》、《三月初二》、《村居四詠》、《頭城雜詩》等應是代表作。《獅頭山紀游詩》共四首，其中三首是五古，另外一首爲五絕，詩爲民國四十年所作。這時江先生尚不到三十歲，胸臆間洋溢著年輕人的豪情，且剛渡海不久，對於寶島景物有著相當程度的好奇和嚮往，獅頭山是台灣有名的佛教勝地，古剎莊嚴，峰巒秀麗，遂成爲江先生遊覽的目標，觀其五絕之作：

巍然凌絕頂，巉峭摩青雲。
星斗俯可擷，於此失林昏。

詩雖率意而成，而絕頂獨立，仰摩青雲，俯擷星斗，英爽之氣充分流露。至於五古之作則於模山範水之外，夾敘夾議，波瀾壯闊，如其中一首云：

入夕振微明，雲條象翠幄。
蘭若傍寒崖，雕甍見翼角。
陟此千仞梯，蹞步成丘壑。

高臺疊百尺，氣象何恢廓。
梵誦盪餘響，枯禪坐寂寞。
素螭鐫玉棟，綵鏤成綺閣。
山僧起肅客，鴃舌語難託。
旅食忝下客，久矣甘澹泊。
浮雲散欲盡，圓景垂青崿。
眺望萃群巒，迴伏如屈蠖。
安得持綠醽，披雲獨斟酌。
清光鑑終夜，寒氣侵帷幕。

全詩以時間為線索，由黃昏入山寫到夜宿古寺，中間梵誦餘響，枯坐寂寞及山僧肅客，旅食澹泊二段，感喟之中寓含禪悟。而寫景之處，若擬況月下群巒曲折盤旋之狀，則曰「迴伏如屈蠖」，可謂妙於形容。從來論山水詩，皆推謝客為祖，謝客描摹山水，固極華妙，而往往留意遺物，故多禪玄互證。讀江先生此詩，令人想到謝靈川。

《頭城雜詩》共六首，皆為五律，是民國四十七年先生任教宜蘭頭城中學時的作品，先生曾用楷體書寫此詩以贈友人，應是先生得意之作。詩中寫小鎮的風俗民情，舉凡清明祭掃，牲酒酬神，寒姥坐績，雞豚散游，皆收拾入於篇什。然而我卻仍舊比較喜歡其中流連景物的幾首，如：

野寺春鋤外，寒鐘雲水間。
鷗低聆具梵，鷺佇愛溪山。
小雨連朝靜，癯僧鎮日閒。
春來花蔭好，藥圃不須刪。

野寺寒鐘，鷗低鷺佇，春來花好，藥圃可樂。有一種萬物靜觀皆自得的情味。語言又是那麼清新自然，不假雕飾而自工，純是宋人的手段。另外的一首亦有同樣的意趣：

九谷危巖逼，清溪裂石開。
人藏深竹語，魚鬥急波回。
拂拂風飄袂，沈沈水濺雷。
白雲幽幻盡，隨意臥莓苔。

人行溪石崖谷之間，映目的是蒼翠的山色，入耳的是沉沉的水聲。走累了，則隨意臥於莓苔之上，仰視浮雲變幻。寫出一種閒適的生活情趣，使人神往。

三

第二時時期的詩作比較多，其中《倡婦詩》、《詠史》、《歲朝詩》、《人事》、《喜雨》、《清秋幕府中作》、《偶書》、《問愚公》、《書事》、《庚子秋大風後作》、《使我有美酒行》、《對酒歌》等皆爲代表作。

《倡婦詩》凡三首，皆爲七言絕句，詩中抒寫商女舞姬怨悱之情，應是有所寓託之作，錄首尾二章如下：

蔫肩公子五陵豪，一笑千金解錯刀。
誰賞琵琶商女怨，滿天霜月濕江皋。（其一）

雕甍百尺結飛樓，寂寞春刀剪石榴。
時世不須眉黛好，慇懃莫爲舞伊州。（其三）

英俊沈淪下僚，強顏低意，趨跖諾虎，古今同慨，所以李義山有「卻羨卞和雙刖足，一生無復沒階趨」（註二一）這樣激烈的詩句。而黃鐘毀棄，瓦釜雷鳴，更是令志士短氣。先生這三首詩當是居台北市幕時的作品，詩中採用傳統比興的手法，委婉含蓄，不露正意，而細心的讀者自可於言外得之。

《詠史》詩共十首，亦皆是七絕之作。詩作於民國四十六年，據江先生年表，先生是年正研讀《四史》，因而有此組作品，錄其中二首如下：

姜維斗膽怕流言，黃皓工讒勢位尊。
斫石拔刀騰戰卒，劉禪自縛下都門。（其八）

俄頃漢魏遞相禪，雀啄螳螂金彈堅。
振古神奸通鼻息，休驚操懿共罏埏。（其九）

詠史詩往往含有對現實的影射或批判，不只是單純敷衍史事而已，觀古來詠史名作，多借古以喻今，或託古以慨今，可以覘此中消息。江先生此題十章分寫十事，看來每首應都有現實上眞切的感受，由於先生的詩筆峻潔，句無賸辭，寫來分外深刻。詩壇耆宿王開節讀江先生的詩稿後，曾撰詩四章書扇以贈，其中有「相知一世端難盡，字學庭堅句似蘇」之句，並特別提到這組《詠史》詩，說：「難忘詠史詩中語，按劍監軍倚侍中」，可見江先生這十首詠史詩所受到的重視。

《清秋幕府中作》是一首七律：

桑海俄頃警幻游，炎雲過盡又清秋。
月寒杵白嗟靈藥，語細宮庭訴白頭。
竹粉初勻成韻籟，梧黃新落入商謳。
銀河渡鵲餘殘羽，夢徹增城十二樓。

寒月嫦娥，悔偷靈藥；白頭宮女，悵訴舊事。鵲餘殘羽，渡河無望；增城迢遞，惟夢可通。全詩只首句「桑海俄頃」四字微露本意，頷聯及結聯承之，卻用典故推遠，造成詩境的朦朧；腹聯用疏宕之筆寫景，遙頂次句。全詩寄託深而措辭婉，純是玉溪生的勝境。

《庚子秋大風作》及《對酒歌》兩首都是七言歌行，前者似從少陵《茅屋爲秋風所破歌》出，而層層翻轉，語意俱變；後者則融太白《將進酒》及少陵《飲中八仙歌》於一爐，自鑄偉辭。二詩都有甚高的成就，文長不具錄。

值得一提的是：民國五十二年臘月，由梁寒操等發起的明夷詩社在台北成立，與會者除梁氏外，尚有馬瀞廬、劉太希、張惠康、陳季碩、李漁叔、胡慶育、蘇笑鷗、吳萬谷、王家鴻、羅戎庵及江先生，當時江先生是最年輕的一位。詩社定期聚會，迄五十四年七夕為止，共聚會十六次，會必有課。詩課往往限題或分韻，本難有佳作，然而對能者來說，卻反而可以因難見巧，江先生的詩課之作凡十二題，皆有可觀，如《紀夢四首》：

依稀豐穎讀書堂，桃李籬櫳草木香。一榻黃庭陳細字，崢嶸古墨對飛霜。（其一）

多少樓臺煙雨中，雨湖菱芡送微風。可憐錦帶橋頭夢，萬朵芙蕖吐小紅。（其二）

南山一角背危城，萬斛哀泉尚有聲。茶事粗完尋野筍，調和鹽豉作蓴羹。（其三）

寐覺何曾蝶與周，顛狂歲月去如流。納隍得失皆為夢，莫據浮蕉論不休。（其四）

故園阻隔，往事如煙，夢境相距，不及一寸，四首皆神完氣足，醰醰有味。卒章則浮生若夢之感，關合人事得失以言，感慨極為深沈。其他如七律之作《浴佛節李漁叔生日》：

鄴侯偶自隱衡山，插架縹緗兩壁間。

詩句忽吟松壑靜，幽情長與白雲閒。
據梧每接聞精義，揮麈懸知破險艱。
湔洗佛陀同一潔，清名今日滿台灣。

漁叔夫子生日為四月八日，與佛祖同。詩的結聯收至此意，以繳清題旨，卻能由「湔洗」遞出「潔」字，又由「潔」字遞出「清名」，層層轉進，不露痕跡。中間兩聯閒閒寫來，曲盡漁叔夫子散朗的風調。似此尋常題目，獨能刊落陳言，辭意俱清，非老手不為功。

四

第三時期特指五十八年九月至五十九年八月的詩，這整整一年間，江先生旅居美洲，形影相顧，鄉邦遠隔，心目所接，雲物變色，居常以詩畫遣悶，有《密執安雜詩》三十六首，五十九年九月，這些詩作曾由先生手錄，配合旅美期間所作書畫在故宮展出。三十六首詩中，古、近體兼備，其中《雪夜》、《南谷瀨觀瀑》、《畫信江圖成》、《無題》等應是代表作品。

《雪夜》是兩首七言絕句：

窗前風雪苦搖天，萬緒紛紛到枕邊。
伏臘一更驚暮曆，無情歲月有情禪。（其一）
逐架圖文認典型，愁來老佛欲焚經。
卻思散髮雲山外，靜看煙嵐變杳冥。（其二）

獨守異邦，倏驚歲暮，風雪搖天，感興萬端，雖有滿架圖文，何足以驅遣愁懷，恐煙嵐杳冥，亦不能湔此抑鬱，「愁來老佛欲焚經」一句，眞能描摹得出。相對而言，「無情歲月有情禪」，則顯得蘊藉含蓄。「蘊藉含蓄」與「描摹盡致」本詩中兩種不同境界，各有所當，正不能以上下區判。

《南谷瀨觀瀑》是一首七古長篇：

天末雲煙開溆浦，層層灘瀨銀濤舞。
夾岸長林綠意濃，青梢赤瓦飛樓宇。
忽然水色變深藍，盤礁突起濕煙涵。
細枝碎葉生叢樹，狎浪霜鷗翠色含。
河床直落一百尺，半規新月成懸壁。
長流蓄勢盡飛傾，千丈珠簾聲動魄。
山搖地撼兩崖開，萬馬奔騰踏雪來。
須臾急鬥分生死，戰鼓鳴天畫角哀。
摶霜屑玉拋冰壑，濃綃細霧光成幕。
長虹橫跨正繽紛，騰霄可有揚州鶴。
奔湍自此入平流，洄洑相持去若留。
波紋直似霜蹄影，嚼勒嘶風跳不休。

天公野興尚不足，餘瀾遠處增横幅。
疆界毗鄰呼可應，逶迤一水中分陸。
去來晨夕兩回新，滌淨孤胸萬斛塵。
歸時大小一車佛，各就雲龕託此身。

詩自首句至「狎浪霜鷗翠色含」八句，中間一次換韻，描寫瀑布上游景物，自「河床直落一百尺」至「騰霄可有揚州鶴」十二句，中間兩次換韻，描寫瀑布下游景物，最後四句一韻到底作收。分章佈局，極有次第。其中正寫瀑布一節，使用全力，繪形繪聲，極盡形容，應是全詩最精采之所在。結處「去來晨夕兩回新」，言瀑布之氣象萬千，與晨昏偕變；「滌淨孤胸萬斛塵」，言瀑布之入目盪胸，將鄙吝盡除；二句避實就虛，舉重若輕。「歸時」二句採現成謔語入詩，以佛陀爲喻，亦饒有情味（註二）。

《無題》一詩亦爲七絕：

一注梟盧色轉盆，金鉤孤擲亦銷魂。
將錢盡買君平卜，不信征衫有淚痕。

《無題》之作創自晚唐李義山，詩多作男女之辭，其中或有託寄。江先生此作則寓意於金鉤孤擲，辭興婉愜，悃悃不甘，就詩論詩，自是合作。

五

江先生自民國六十年以來迄今，因爲工作繁忙關係，詩興似乎稍減，然凡有所作，往往驚絕。故在量的方面固然相對減少，在質的方面卻相對提高，臻於波瀾老成的境界。這時期的代表作有《題六朝金銅佛》、《古銚》、《題新嫁娘懷鏡詩》、《傍舍植雙菩提樹欲鐫雙菩提樹龕小印口號三首》、《種竹》等。

其中《題六朝金銅佛》是一首五言選體：

我不習禪淨，竊剽迦陀意。
天地有成住，人生暫如寄。
順生芟苦厄，苦厄根情智。
心同萬馬競，百慮導沈墜。
能堪柳生肘，曲折盡隨器。
大歡止懦愚，大戚聊可置。
孔氏重死生，涅槃釋之至。
捨肉飽飢鷹，知捨義差備。
瞬息寤壞空，榮瘁偶然遂。
水月證圓明，演化遵萬事。

嵯峨鐘磬宣，欲起身反躓。
繁言廣長舌，盃航體佛志。

此詩寫於民國七十二年舊曆除夕，是對現實深有感觸的作品。全詩由天地成住、人生如寄說到居世之道，惟當順生芟苦，然欲芟苦厄，亦非易事，因苦厄根於情智，歡戚源自得失。世事豈能盡隨人意，必欲一切皆如我之安排，徒將自尋煩惱而已。故惟有懂得割捨之道，庶幾可以優游自得。權位、名利皆是倘來之物，只當一切順其自然，不必強求。詩之結聯「繁言廣長舌，盃航體佛志」，與首聯「我不習禪淨，竊剽迦陀意」遙相照應，中間提出「知捨」作為全詩之柱意，所謂「竊剽迦陀意」者指此，所謂「盃航體佛志」者亦指此。其餘詩句，或為「知捨」蓄勢，或為「知捨」作波，大抵皆環繞「知捨」此一主題而展開。詩屬說理之作，充分反映江先生的人生智慧及佛學修養。

《種竹》詩作於民國七十三年，屬七言古體：

昨日清明今日雨，庭前添種三竿竹。
忽訝沿階新筍生，饞涎濺牙不忍斸。
今年細葉已如雲，偶亦來禽差不俗。
他時密節再抽新，濃影照窗窗影綠。
纔言浮蛆麴注槽，便欲持樽傾江綠。
種樹小高郭橐駝，笑說光陰短於燭。

詩由昔日的清明種竹，說到今日的沿階筍生；又由今年的細葉如雲，想像他時的濃影照窗。九、十兩句承七、八兩句，以釀酒飲酒爲喻，進一步刻劃盼望竹子長成的急切心情。最後兩句用宕筆跳開，辭意俱變，似斷非斷，收得不測。宋人陳長方說：「古人作詩，斷句旁入他意，最爲警策。如老杜云：『雞蟲得失無了時，注目寒江倚山閣』，是也。黃魯直作水仙花詩，亦用此體，云：『坐對眞成被花惱，出門一笑大江橫。』」（注三）江先生此詩的收尾，手法稍異，卻有類似的趣味及效果。先生此詩寫成後，曾披露於報端，當時詩人周棄子猶在世，見報後有信貽先生，信中說：

頃報耑讀新作《種竹》一首，朗吟知健，慰何如之！此詩吐屬神理，無一字不抉坡髓，結筆寓感甚深而出之閒澹，此玉局千古獨擅。不嗜馬肝，能知其味，公不能不許我具眼也。

對江先生此詩稱揚有加，並指出先生此詩能得蘇東坡神髓，前引王開節的贈詩中也說江先生「句似蘇」，兩人的言論前後相距十餘年（註四），而其辭若一，正是英雄所見略同。

民國七十六年春，故宮舉辦牡丹花展，觀者絡繹，我曾作了三首牡丹花詩，並持呈江先生請正，江先生特爲賡詠三首書扇見貺。拙詩實不足觀，先生此舉，卻充分顯示對晚輩的提攜及勉勵之意。詩亦屬此時期之作品，謹錄如下：

名花移自高句驪，冰護紗籠倍見珍。
不問炎州卑濕地，也能光艷吐精神。（其一）
華燈激射悉纖埃，碎語衣香款款來。

輕紅膩白都如笑，照眼凝脂輔靨開。（其二）
嚴寒初解柳條蘇，猶記江南二月初。
宿酒未醒人獨立，春風一片錦模胡。

此詩三首連章，首章溯其來源，次章記其盛況，三章則追憶舊日江南麗景。雖尋常率意之作，亦自娓娓引人。

六

中國水墨畫上面的題詩，往往在整個畫面上佔了相當重要的地位。如果題畫詩的內容精彩而得體，加上位置安排合適，通常能使整幅畫作生色，不但充實了畫作的內涵，而且相對提高了畫作的境界。尤其題畫詩如果出諸畫家本人之手，那就更爲難能而可貴。

近代以來，中國山水畫家中能在自己畫作上自己題詩的，除了已過世的黃賓虹、溥心畬和張大千等少數幾位以外，當代就數江先生了，由於江先生工詩，所以先生早年畫作上的題詩大都是自已作的，後來因爲事務冗忙，題詩有時借用前人成句，但是遇偶然興到，仍然常常自己創作。

江先生的題畫詩，論其內容，約可歸納爲三類，第一類是論畫，第二類是描寫畫中景物或意境，第三類是別有託寓之作。第一類的作品如：

我心有所寄，下筆無今古。
於古古亦今，生兒忽齊父。

索劍莫刻舟，索音莫膠柱。
我筆寫我心，我心隨所取。
可念壽陵人，量足以適履。

對於古人藝術上的偉大成就，我們應該加以肯定，並進一步從中取法，但取法古人的同時也必須知所變通，務使古爲我用，以期建立自己獨特的風格。在這首題畫詩中，江先生提出了既不排古亦不泥古的正確看法，超越了藝術創作上「今」與「古」問題層面上許多無謂的爭論。此外，先生又揭櫫了「我筆寫我心」的主張，強調了中國山水畫抒情和寫意的特點，明確地指出中國山水畫家筆下所表現的自然，應該是經過畫家心靈所重組改造過的自然，不是客觀自然景物的再現。無論對於畫家或評論家，這都是值得省思的一個重要觀念。

第二類的題畫詩數量最多，不能盡舉，選錄數首，以見一斑：

鷗鷺傍青天，叢蘆炊白煙。
梳頭臨水鏡，山影亦嫣然。（其一）

朔風吹竹寒波起，欲雪江天暮色昏。
縱艇不歸聊躑躅，料應吟嘯過蘇門。（其二）

石骨嶒崚瘦積天，兩崖澄碧漱靈泉。
苔肥霧濕人蹤少，臥看飛雲逐紫煙。（其三）

四面湖山隔市塵，小鮮能佐小壺春。

此間著意無些子，一塊巉巖一個人。（其四）

以上諸詩，或描繪畫中景物，或刻摹畫中境界，前者如「梳頭臨水鏡，山影亦嫣然」；後者如「此間著意無些子，一塊巉巖一個人」。如是之類，皆可謂意新而語工，戛戛獨造。其餘的詩句也都是精警密栗，不落凡近。

江先生有些題畫詩是別有寄託的，如：

空山曳杖幽人語，一片霜紅萬木稠。

清泉在澗聲低咽，不肯顛狂並濁流。

杜甫詩云：「在山泉水清，出山泉水濁」（註五），人生多歧途，唯有貞介之士能獨守其正，不與世俗同流合污，先生此詩三、四兩句之寓意，當在於此。又如：

青山處處水浮天，道路艱難想息肩。

偏在逆風呼不得，誰能喚轉渡頭船。

道路艱難，想息仔肩，而人在逆境，不由自己，只好拚命向前。世事往往不如人意，人的一生，有時眞是如此無奈。江先生此首題畫詩，似乎便寄託了這種感慨。

七

如果說前文所提到的題畫詩《我心有所寄》，反映了江先生的繪畫觀，那麼，下面這一首題爲

《論詩》的五古，則是充分反映了江先生的文學觀，傳達了先生對於詩歌創作所抱持的基本理念。原詩如後：

嘉會吐歡音，慷慨發悲歌。
託聲聊寓志，安能以法求。
陶公甘澹泊，良與本性侔。
康樂事排比，富艷誰能儔。
取徑各有趣，難定劣與優。
君觀黃牛歌，音響一何遒。
誰知出舟子，幾欲超士流。
我言寫我意，豈必從冥搜。
潘岳賦閒居，情與事不謀。
此又一是非，衆口徒悠悠。

《書、舜典》云：「詩言志」，詩歌是用來吟詠性情，抒寫哀樂的，江先生此詩的第三句「託聲聊寓志」，承首聯的「嘉會吐歡音，慷慨發悲歌」，提出了類似的看法，而詩的後幅「我言寫我意」一句，更是進一步強調和確認了這種主張。基於這種「言志」或「寓志」的詩歌創作理念，形式法度的講求因而落入第二義，成爲次要；而辛苦冥搜，務求詩句之驚人，如果不能反映眞實性情，也就顯得不那麼可貴了。也是由於同樣的理論基礎，所以江先生推崇了黃牛歌的音節遒上，因爲「朝發黃牛，暮宿黃牛。三朝三暮，黃牛如故」這樣的歌辭，儘管語言素樸無華，但確能反映舟子的愁苦心情。而陶淵明詩的閑澹，謝康樂詩的富艷，雖然取徑各殊，卻各自反映了他們的本性，都是難得的好作品。至於潘岳的《閒居賦》，雖然表面上寫的是閒居的生活，事實上係感慨仕宦不達而作，是「情與事不謀」的，這一類的作品雖然出於名家之手，文辭富贍，價值卻相對地並不高。

正如前人所說，畫是無聲詩，詩是有聲畫（註五），詩與畫在許多方面是相通的。在探討了江先生的繪畫觀和文學觀之後，可以發現先生在這兩方面的主張有它的一致性，無論是論畫的「我筆寫我心」，或是論詩的「我言寫我意」，事實上都強調了詩與畫的寫意抒情的功能，而這一點正是中國古典詩歌與傳統水墨畫的共同特性。同時，在讀江先生的詩作及觀賞他的山水畫之後，我們也能發現：江先生的作品，無論詩作與畫作，全都是他自己的文學與藝術理念的充分體現，在江先生的作品上，理論與創作作了完美的結合。

我因爲喜歡江先生的書畫，進而留意先生的詩文。其後蒙先生不棄，有幸忝列門牆，先生凡有所作，往往錄示，故篋笥中搜羅保存了不少先生的詩作。端居無事，常取出諷誦，輒有所會。今將先生各時期的代表作舉例略說如上，以見先生詩學造詣之一斑。由於個人才學所限，文辭的拙劣，那是必然；至於穿鑿的毛病，則可信不會有吧！

【注釋】

註一：《任弘農尉獻州刺史乞假歸京》詩中句。時義山以活獄忤觀察使孫簡，將罷去，因有此作。

註二：江先生於此詩「歸時大小一車佛」句自注云：「叔閒雅謔」。

註三：見《步里客談》卷下。

註四：王詩作於民國六十二年。

註五：見《佳人》一詩。

註六：宋黃庭堅《次韻子瞻子由題憩寂圖》之一云：「李侯有句不肯吐，淡墨寫出無聲詩。」又元方回《丹陽道中大雪》詩云：「此是老夫有聲畫，丹陽道上雪天詩。」

附錄二

論詩絕句三十首

論詩詩肇端於杜少陵，題作《戲為》《解悶》，初不以論詩為名。其後戴復古有《論詩十絕》，而元遺山《論詩三十首》尤蔚為大觀。有清一代，如王漁洋、謝啟昆、袁子才等，並有繼踵之作。竊不自揆，亦師其遺意，撰成《論詩絕句三十首》，上起漢、魏作者，下迄近代，冀發古賢之潛光，尚尋典型之墜緒，志其景慕，取用代言云爾。

一

游子行行不顧返，南箕北斗亦何爲。風人末世多哀怨，永夜虛窗有所思。

右一首論《古詩十九首》。《行行重行行》云：「浮雲蔽白日，游子不顧返。」又《明月皎夜光》有「昔我同門友，高舉振六翮。不念攜手好，棄我如遺跡。南箕北有斗，牽牛不負軛。良無盤石固，虛名復何益」等語。

二

蒿里薤露傷時亂，對酒當歌見霸心。魏武凌雲有健筆，方諸鄭曲未知音。

右一首論曹孟德、孟德有《薤露行》及《蒿里行》，用樂府題，叙漢末時事。又其《短歌行》云：「山不厭高，海不厭深。周公吐哺，天下歸心。」其詩氣韻沈雄，如摩雲之鵰，而劉彥和論魏三祖詩，乃有「雖三調之正聲，實韶夏之鄭曲」（《文心雕龍、樂府》）之語，此評施諸曹丕及曹叡，或尚有當，以斥孟德，恐未為知言。

三

佳人南國傷遲暮，黃雀野田入網羅。感憤多存骨肉際，雲泥異勢動高歌。

右一首論曹子建。子建《雜詩》「南國有佳人」之什有「俛仰歲將暮，榮耀難久恃」之句，蓋自傷也。其《野田黃雀行》有「利劍不在掌，結友何須多」之句，蓋痛其友楊修、丁儀、丁廙等之見誅而身不能救也。又其《七哀詩》云：「君若清路塵，妾若濁水泥。浮沈各異勢，會合何時諧。」劉履以爲「子建與文帝同母骨肉，今乃浮沈異勢，不相親與，故以孤妾自喻。」（《選詩補注》）其說是。

四

遭亂才人適楚蠻，方舟沿氣泝如山。悲而不壯吾能說，捷密無如體力孱。

右一首論王仲宣。王仲宣以中原喪亂，住荊州依劉表十五年。劉熙載評其詩云：「悲而不壯。」《藝概·詩概》案《三國志、王粲傳》言粲「體弱通侻」，竊謂其詩「不壯」，與其「體弱」有關。鍾嶸評仲宣詩「文秀而質羸」，其所謂「質羸」亦當指「體弱」而言。又劉彥和云：「仲宣溢才，捷而能密。」（《文心雕龍·才略》）

五

漢季失衡開戰端，飛潛水陸各傷殘。文姬血淚分明在，莫作尋常筆墨看。

右一首論蔡文姬。蔡文姬《悲憤詩》二章，蘇東坡疑爲僞作，然其詩載《後漢書》，且案其內容情事，宜非他人所能僞。王闓運曰：「杜子美一生祖述，淺人乃疑其僞，試觀杜集《述懷》、《北征》二首，方知此篇（指《悲憤詩》五言之什）神力耳。意勢軒舉，是建安風骨也。」

六

巾車獨駕哭途窮，沈醉芳醪二月中。休笑郎君頽放甚，淸宵外野叫孤鴻。

右一首論阮嗣宗。《晉書、阮籍傳》云：「籍本有濟世志，屬魏、晉之際，天下多故，名士少有全者，籍由是不與世事，遂酣飲爲常。文帝初欲爲武帝求婚於籍，籍醉六十日，不得言而止。」又云籍「時率意獨駕，不由徑路，車跡所窮，輒慟哭而反。」案阮籍有《詠懷》詩八十二首，其首章云：「夜中不能寐，起坐彈鳴琴。薄帷鑒明月，淸風吹我襟。孤鴻號外野，翔鳥鳴北林。徘徊將何見，憂思獨傷心。」

七

杖策荒途招隱士，鉛刀夢想騁雄圖。瑰辭自鑄攄胸抱，領袖太康良不誣。

右一首論左太沖。太沖《詠史》首章云：「鉛刀貴一割，夢想騁良圖。」又《招隱》詩云：「杖策招隱士，荒途無古今。」案鍾嶸評左思詩「野於陸機」（《詩品》上），蓋純就詞句而言耳，若其造詣所得，較士衡則遠邁之矣。成書倬雲曰：「太康詩，二陸才不勝情，二潘才情俱減，情深而才大者，左太沖一人而已。」（《多歲堂古詩存》卷四）斯爲篤論。

八

肅肅邊風踐嚴霜，依依絲柳淚成行。叢林如束空形似，上漢猶須換骨方。

右一首論張景陽。景陽《雜詩》云：「輕風摧勁草，凝霜竦高木。密葉日夜疏，叢林森如束。」案鍾嶸評張協詩「詞彩葱倩，音韻鏗鏘」，多「巧構形似之言」（《詩品上》），蓋謂其善於描寫景物，然景固當與情相發，若無其情，則徒然寫景形似，亦何可貴！蔡文姬《悲憤詩》：「處所多霜雪，胡風春夏起。翩翩吹我衣，肅肅入我耳。」）又《詩、小雅、采薇》：「昔我往矣，楊柳依依。」皆寓情於景，不必極爲凝鍊，而獨能千古。

九

江畔栽桑悔已遲，個中眞意幾人知。自從彭澤辭官後，鳥逝雲回盡可疑。

十

東方一士操鸞鶴，新燕雙飛入舊盧。負氣不回眞狷者，直言平淡太荒疏。

右二首論陶淵明。淵明《擬古·種桑長江邊》詩云：「種桑長江邊，三年望當採。枝條始欲茂，忽值山河改。柯葉自摧折，根株浮滄海。春蠶既無食，寒衣欲誰待。本不植高原，今日復何悔。」又《飲酒·結廬在人境》云：「山氣日夕佳，飛鳥相與還。此中有眞意，欲辯已忘言。」又《擬古·東方有一士》云：「知我故來意，取琴爲我彈。上絃驚別鶴，下絃操孤鸞。」又《擬古、仲春遘時雨》云：「翩翩新來燕，雙雙入我廬。先巢故尙在，相將還舊居。」案朱文公論陶詩曰：「陶淵明詩，人皆說是平淡，據某看他自豪放，但豪放得來不覺耳。其露出本相者，是《詠荊軻》一篇，平淡底人如何說得這樣言語出來。」（《朱子語類》卷一百三十六）又曰：「隱者多是帶氣負性之人爲之，陶欲有爲而不能者也。」（同上）竊以爲眞能知柴桑老人。

十一

嵇阮同流陶靖節，禪玄互證謝靈川。新聲麗典相奔會，燭照餘暉八百年。

右一首論謝靈運。案沈寐叟評謝詩云：「支公模山範水，固已華妙絕倫；謝公卒章，多託玄思，風流祖述，正自一家。陶公自與嵇、阮同流，不入此社。」（《八代詩選跋》）又云：「支、謝皆禪玄互證，支喜言玄，謝喜言冥，此二公自得之趣。」（同上）其說甚諦。又鍾嶸評謝詩，有「名章迥句，處處間起，麗典新聲，絡繹奔會」（《詩品上》）之語。

十二

孤鶻破霜秋水寒，西風落日客衣單。沈吟瀉水平坟句，始信人間行路難。

右一首論鮑明遠。明遠詩沈雄篤摯，壯麗豪放，其《行路難》十八首尤爲傑作。其第三首云：「瀉水置平地，各自東西南北流。人生亦有命，安能行歎復坐愁！酌酒以自寬，舉杯斷絕歌《路難》。心非木石豈無感？吞聲躑躅不敢言。」案《世說新語、文學》：「殷中軍問：『自然無心於稟受，何以正善人少惡人多？』……劉尹答曰：『譬如寫水著地，正自縱橫流漫，略無正方圓。』」明遠此詩發句蓋本此。

十三

天際歸舟見性眞，豈惟發句始驚人。使君遺澤高樓在，留與青蓮一滄神。

右一首論謝玄暉。王船山曰：「語有全不及情而情自無限者，心目爲政，不恃外物故也。『天際識歸舟，雲間辨江樹』，隱然一含情凝眺之人，呼之欲出。如此寫景，方爲活景。」（《古詩評選》卷五）案船山所引爲玄暉《之宣城出新林浦向板橋》詩之三四句，固知鍾記室「善自發詩端，而末篇多躓」（《詩品上》）之評爲不然。王世貞亦云：「玄暉不唯工發端，撰造精麗，風華照人，一時之傑。」（《藝苑卮言》卷四）宣城北樓，謝朓爲太守時所建，太白有《宣州謝朓樓餞別校書叔雲》、《秋登宣城謝朓北樓》等詩。

十四

輞川勝景絕清奇，冷月疏鐘入夢思。維迪風流俱往矣，剩遺寂照幾篇詩。

十五

詩心畫境共虛盈，當日髯翁有定評。試向李家求氣韻，何如白鷺跳波清。

右二首論王摩詰。摩詰有《輞川集》二十首，裴迪皆有和作。維之《欒家瀨》云：「颯颯秋雨中，淺淺石溜瀉。跳波自相濺，白鷺驚復下。」案蘇東坡云：「味摩詰之詩，詩中有畫；觀摩詰之畫，畫中有詩。」（《東坡題跋》五《書摩詰藍田煙雨圖》）謂王維詩畫往往相爲表裡，是固然矣。及其中歲以後，靜修有得，故詩中時露禪趣，其《輞川集》小詩言外尤多靜觀自得之意。

十六

少人多石楚之南，泉墜樹環鈷鉧潭。從此騷人忘故土，中秋觀月酒初酣。

十七

煮茶燃竹倦登臨，空闊南天自古今。鼓枻中流成一眺，巖雲出岫果無心。

十八

日出青松顏色鮮，山齋貝葉認西賢。河東廣廈分明在，不與韓公爭道傳。

右三首論柳柳州。柳州貶永州，有《漁翁》詩云：「漁翁夜傍西巖宿，曉汲清湘燃楚竹。煙銷日出不見人，欸乃一聲山水綠。回頭天際下中流，巖上無心雲相逐。」柳州蓋以自況，一結大有深意。又其《晨詣超師院讀禪經》詩云：「汲井漱寒齒，清心拂塵服。閒持貝葉書，步出東齋讀。眞源了無取，妄跡世所逐。遺言冀可冥，繕性何由熟？道人庭宇靜，苔色連深竹。日出霧露餘，青松如膏沐。澹然離言說，悟悅心自足。」見柳州於釋教蓋取包容之心胸，其意量蓋非韓文公所及。

十九

並駕康衢孰後先，晚唐才筆最堪憐。玉谿微旨歸何許，只在鶯花高樹邊。

右一首論李義山。義山擅長詠物，其詠物詩於描摹物狀之外，常寄託身世之慨，如《流鶯》、《蟬》、《落花》、《深樹見一顆櫻桃尚在》、《巴江柳》等皆是。

二十

物論悠悠總不齊，路人隨口說高低。千秋待得浮言盡，功過荆公費品題。

二十一

不設垣牆如客館，一驢鍾阜去尋雲。絕憐秋雨歸來後，獨坐空堂到夜分。

二十二

冷雲東阜供騷首，春鳥北山遺好音。悃悃不甘如掬在，幾人從此悟金鍼。

右三首論王半山。王半山《山中》詩云：「隨月出山去，尋雲相伴歸。春晨花上露，芳氣著人衣。」又《答蔡天啓》詩云：「佇立東岡一搔首，冷雲衰草暮迢迢。」又《半山春晚即事》詩云：「惟有北山鳥，經過遺好音。」案昔海藏翁論詩，以爲詩中當含惘惘不甘之情，斯爲佳製。半山老人有焉。

二十三

春柳依依萬里橋，唐神宋貌自嬈嬌。風人散朗今希見，香宋端宜住六朝。

右一首論趙香宋。香宋詩潑水立就，作品極多，頗傷零落，其五七言近體，神思妙運，而出諸自然，耐人尋繹。

二十四

秋花秋淚愁無極，黃歙詩翁語甚奇。談笑昌黎徑入室，抗行東野失尊卑。

二十五

杭歙途中選石床，新安江上潑嵐光。江南麗景皆公有，怪底詩情撲面涼。

右二首論許疑庵。疑庵詩五右幽深奇峭，出入韓、孟，而自具面目。有《秋夕偶書》云：「秋淚不易滅，入土化爲花。爲花亦何事，香遍秋人家。今香如昔香，誰復愁天涯。今花非昔花，彌人使歎嗟。咨嗟莫滴淚，又想淚生芽。」構思甚奇，層層轉進，純是東野手段。疑庵歙人，其《由杭歸歙途中雜詩五十五首》有「憶坐梅坪選石床」之句，又其《新安江雜詩五首》有「山山濃黛潑嵐光」之句。

二十六

花前負手意深微，朝報燔餘掩晝扉。白露蒹葭詩句老，江山如北夙心違。

二十七

閱世眞知世路艱，聊從辭國現斑斕。君看詩律精嚴處，何似半山同後山。

右二首論黃晦聞，晦聞有《蒹葭樓詩》，爲嶺南一大家，其詩出入半山、後山，而淸夐處殆欲過之。其《答秋湄書意》云：「負手花前意自深，晚秋蟬吹久銷沈。」又《閉門》詩云：「閉門聊就熨爐溫，朝報看餘一一燔。」案知堂老人嘗言先生憤世疾俗，覺得現時很像明季，爲人作書，常鈐「如此江山」一印，見《知堂回憶錄》。

二十八

槐柟詠盡又綸絲，杜宇聲聲日色遲。遇亂人間無可說，漫從禽木賞幽姿。

右一首論胡小石。嘗見先生自書詩卷，卷中詩皆詠草木蟲羽，有《刺槐》、《柟以春時落葉色如丹》、《釣絲竹婀娜有垂柳之容》、《子規》等題，詩亦亹亹引人。

二十九

三千世界人人錯，名理多藏淺語中。聲滿碧寰慷慨甚，江西詩脈尙豪雄。

右一首論劉丈希先生。太希老人籍江西，其詩常以淺語申名理，醰醰有味。「三千世界人人錯」即其句也，嘗以入印，常鈐蓋於所作書件及詩稿中。

三十

遍歷詞場觀照圖，知堂尹默得心傳。蘭成老去生奇興，絕句論書一百篇。

右一首論鄭因百先生。先生自言曩年就讀燕大時，受沈尹默及周作人兩人之啓迪獨多。又先生晚年嘗有《論書絕句一百首》之作，甚具卓見。